# 女子大生会計士の事件簿

## DX.1 ベンチャーの王子様

山田真哉

角川文庫 13538

公認会計士や税理士、経理部員といった会計業界を目指している方。
簿記など会計の基礎を学び始めようとしている方。
会社の決算書や株式などについて興味のある方。
そういった方々には、この本が勉強の手助けにもなると思われます。
ぜひ一緒に、〈会計〉を舞台にした小説の世界を存分に楽しんでくださいませ。

CONTENTS

# 女子大生会計士の事件簿 DX.1 ベンチャーの王子様

カバーイラスト／久織ちまき
カバー＋本文デザイン／角川書店ＡＣデザインルーム

監査ファイル1

# 〈北アルプス絵はがき〉事件

## ——簿外入金・架空出金の話——

1

トゥルルルー、トゥルルルー

ホテルの電話が鳴り出した。

「……はい、柿本ですけど」

僕はとりあえず受話器を取り、今日の第一声を発した。

「あっ、カッキー、ちゃんと起きているの!? ここでの監査は今日一日しかないのよ。だから、今日は七時にホテルのロビーで集合って言っておいたでしょう！」

朝っぱらから、かわいい甲高い声が受話器を通して聞こえてきた。

「萌《もえ》さん、朝からテンション高いですね」

「カッキー、そりゃそうでしょう。だって、今日一日で〈例のアノ件〉を片付けなきゃならないのよ！　一日じゃ絶対足りないわ」

「はいはい。わかりましたよ。じゃあ、すぐに着替えてロビーに行きますので、ちょっと待っていただけませんか」

「『すぐに着替えて』ってあんた、さっきまで寝ていたの⁉」

「あぁ、すいません、すいません。今すぐに行きますので。でも、二日酔いでかなり頭がガンガンするのですが……」

「もう、うるさいわねぇ。今日は本当に時間ないんだから、とっとと来るのよ！」

そう言うと、萌さんは一方的に電話を切ってしまった。

ピッピッピッー　ピッピッピッー
今度は枕元にあるデジタル時計が鳴り出したので、スイッチを押して音を止める。

眠い目をこすりながら、辺りを見まわす。

二つあるベッド、木目調の立派な机、大きなお風呂《ふろ》、何だかよくわからないが高そうな絵画、そして窓から見えるのは北アルプスの山々。

絵はがきでも買いたくなるような素晴らしく綺麗《きれい》な景色だ。


今、僕は出張先のホテルにいる。

職業は会計士。身分は下っ端。

そんな下っ端にもかかわらず、今回の出張ではツインの部屋を用意された。

一人でしか泊まらないのに、である。

毎回、いい部屋に泊まれるわけでは決してない。

ただ、こういうときもたまにあるらしい。

まあ、僕は入所一年目だからすべて聞いた話に過ぎないのだが。


仕事は各企業の監査。職場は主に東京。

東京にある中堅飲料水メーカー大伴飲料株式会社の監査を担当しているのだが、今日はそこの監査の一環として、主査の萌さんと二人で同社の製造工場がある北陸の富山県に来ているのだ。

〈萌さん〉こと藤原萌実《もえみ》さんは、僕と一緒に出張に来ている公認会計士で、入所四年目。大伴飲料の主査としてここに来ており、僕の上司に当たる。

〈主査〉とは監査の現場監督のことで、大伴飲料の現場については萌さんが責任者なのである。

萌さんは全国最年少で公認会計士二次試験に合格し、今も現役の女子大生というのだからずいぶんと若い。

それに引き換え、入所一年目の〈僕〉こと柿本一麻は今年で二十九歳の会計士補。[1] 大学三年の就職活動の時期になっても進路を決められず、親から何か就職できる資格でも取りなさいと言われたため、絶対就職できるという文句につられて会計士試験の勉強を始め、七年目にしてついに合格したという経歴だ。

新入社員が二十九歳というのも一般企業ではあまりないと思うが、会計士業界では別に珍しいことでもなんでもない。

一年上の先輩には三十八歳で合格という人もいる。

だから、上司のほうがずいぶんと年下というのもなんら不思議な状況ではないのである。

## 2

すばやくスーツに着替えてロビーに出てみると、萌さんはソファーに座って自分のノートパソコン[2]を見ていた。

「カッキー、おはよー」

萌さんはさわやかな笑顔で挨拶《あいさつ》をしてくれた。

一方、僕は二日酔いなのでかなりやつれている。

「おはようございます。それにしても、萌さん、あれだけ飲んでいたのに全然平気なんですか」

「当たり前よ。あれくらいで酔っていちゃ、会計士なんてやってられないわよ。カッキーは〈会計士に必要なのは、一に体力、二に筋力、三、四がなくて、五にお酒〉って会計士受験の専門学校で習わなかったの？」

「習ってるわけないじゃないですか。だいたい勉強は必要ないのですか」

「朝っぱらから、ごちゃごちゃとうるさい男よねぇ」

「そんなこと言われても」

「もう、まあいいわ。じゃあ、〈例のアノ件〉についてちょっと話し合いたいから、そこのレストランで一緒に朝食でも食べない？」

萌さんは笑顔でそう言うと、ノートパソコンを閉じて立ち上がり、ホテル内にあるレストランへと向かって行った。


「それでねぇ、〈例のアノ件〉についてなんだけどぉ」

朝食バイキングで取ってきたポテトサラダを口に入れながら、萌さんが話を切り出した。

「私たち確かに聞いたわよねぇ」

「ええ、聞きました。ほとんど寝ぼけていましたけど、はっきりと。畠山工場長が言いました〈UKから払うぞ〉と――」

〈UKから払うぞ〉

――話は昨晩にさかのぼる。

昨日、萌さんと僕は東京での仕事を夕方には切り上げ、羽田発富山行きの最終便の飛行機で富山入りした。

空港には大伴飲料富山工場の畠山工場長と経理部経理課の神保課長が迎えに来てくれて、その日は歓迎の意味を込めて食事会が催された。この場合、大伴飲料さんのほうが僕らにおごってくれる。まあ、うちの業界ではよくある話である。[3]

高級レストランでの食事会も無事終わり、〈それじゃ、軽く一杯〉ということで、次は高級クラブで飲むことになった。

もともと酒に弱い僕は最初の三十分で〈おやすみモード〉に入ってしまったが、酒には滅法強い萌さんは夜中一時過ぎまでガバガバ飲んでいた。

そして、お勘定というところで、畠山工場長が言ったのだ。

「神保、まだ〈UK〉は余ってるよなぁ。ここのは〈UK〉から払うぞ――」

普通の食事の場合、会社側（ここでは大伴飲料）はちゃんと領収書をもらい、〈交際費〉としてちゃんと帳簿に載せている。しかし、クラブやキャバクラといったところで飲んだ場合、なかなか帳簿に載せることはできない。なぜなら、帳簿は会計士や税務署員といった外部の人間が見ることができるからである。

だから、そういう場合は、地位の高い人が自腹を切るか、会社に裏金を用意しておいてそれを使うしかない。

〈UKから払うぞ〉――この言葉は、おそらく酔っ払った畠山工場長が口を滑らせて言ってしまったのだろう。〈UK〉——これは明らかに裏金を示唆している。

「それで、萌さん、今日はその〈UK〉について調査するんですか」

僕はソーセージを頬張りながら訊《き》いた。

「カッキー、当たり前でしょう⁉︎　会社の裏金なんて私は絶対許さないわ」

「でも、どこの会社でも大なり小なり裏金なんて作っているでしょう？　ちょっとぐらいなら見逃してあげてもいいんじゃないですか」

僕がそう言うと、萌さんはちょっと怒った顔になった。

「バカね、あんたは。嘘が書いてある帳簿を見せられても悔しくないの？　みすみす騙《だま》されろって言うの？　信じられないわ、そんなの。少なくとも、私の前では一切の隠しごとは許さないからね。私に黙って裏金作りをするなんて上等じゃない！　今日は徹底的に調べてやる！　裏金〈UK〉とやらのカラクリを」

普段はかなりかわいい顔をしているだけに、怒るとけっこう怖い。

「……ええっと、萌さん。それにしても、裏金ってどうやって作るんですか」

僕は何とか話をそらした。

「そうねぇ、裏金っていうのは、基本的に二パターンあるの。入金があるのにないように見せる場合と、出金がないのにあるように見せる場合ね」

「入金があるのにないように見せる場合ってどういうケースなんですか」

「売上があったのを内緒にしておけば、その売上代金が裏金になるわね。簿外入金というのよ」

「なるほど。じゃあ、出金がないのにあるように見せる場合というのは、どういうケースなんですか」

「そうねぇ、この場合は偽の出費を作るの。例えば、本当は出張なんかに行っていないのに飛行機代やホテル代を出したように見せかける〈カラ出張〉とか。そうすれば、その飛行機代やホテル代を裏金として貯めることができるでしょう。こういうのを架空出金というのよ」

　とても女子大生がする会話とは思えないが、会計士という職業がそうさせるのであろう。

「――それで、カッキー。〈UK〉って一体、何の略称だと思う?」

　萌さんはいつになく真剣な様子だ。

「売掛金《うりかけきん》だから〈UK〉ではないんですか」

「そうねぇ。可能性としては考えられるから、それは私が調べてみるわ。じゃあ、ほかにないかしら?」

「ユナイテッド・キングダムで〈UK〉というのは？」

「イギリスね。確かにそれも考えたわ。でもさっき調べたんだけど、この工場、海外との交流はまったくないの。だから、ちょっと考えにくいわ」

「じゃあ、ウラガネだから〈UK〉っていうのは？」

「ウラガネだったら、〈UK〉じゃなくて〈UG〉でしょう」

「あっ、そうか。それじゃあ、浦和高校で〈UK〉」

「どうして、高校が関係あるのよ」

「宇宙人交流会で〈UK〉」

「それは一体何なのよ！」

僕らはこのように情報の整理を行い（？）、ミーティングを兼ねた朝食を終えた。

3

八時過ぎ、僕らはホテルからタクシーに乗り、二十キロほど離れた大伴飲料富山工場へと向かった。

「ほら、萌さん、見てくださいよ。この絵はがき。さっき、ホテルで買ってきたんですよ。

北アルプス山脈がすごく綺麗《きれい》でしょう」

僕は隣に座っている萌さんに話しかけた。タクシーの中では会社についての話をするのは厳禁なので、通常こういったたわいもない話をする。

「そうねぇ、確かに綺麗ね。それで、カッキー、その絵はがきを誰かに出すの？」

「もちろん、〈柿本一麻〉宛てに富山から出すんですよ。ちゃんと切手もさっき買ってきましたし」

「あんた、自分から自分に絵はがき出すの⁉　そんなことして楽しい？」

「別にいいじゃないですか。出張から帰ってきて二、三日経ったあと、ふと郵便受けを見るとそこには、美しくそびえる北アルプスの山々が。ねっ、いい感じでしょ」

「ねっ、じゃないわよ。いい年した大人が！　だったら三日後、事務所にあるカッキーのレターケースに絵はがきを入れておいてあげるから、その切手、私に頂戴《ちょうだい》よ」

「切手をどうするんですか」

「もちろん、売るのよ。五十円の儲《もう》けだわ」

萌さんは年の割には意外とせこいことを考える。もう少し若い女性らしくしてもいいんじゃないだろうか……。

八時三十分過ぎに海辺にある立派な工場に到着した。

出迎えには、昨晩一緒に食事をした経理部の神保課長が来てくれた。玄関で軽く挨拶《あいさつ》を済ませると、工場の離れにある事務センターの会議室へと通された。今日の仕事場はこの会議室である。

監査の仕事では、通常その監査先の会社の会議室等を借り、そこに会社のさまざまな資料を持ってきてもらって僕らが作業をするのである。

「それでは、神保さん。この一年間の会社の帳簿類をすべて持ってきていただけませんか」

萌さんは、会議室に着くとすぐに神保課長にお願いをした。これが監査の開始の合図である。

「藤原先生、経理部はこの会議室のすぐそばなので、いくらでも持ってこられますから。それじゃ、よろしくお願い致します」

作業服に身を包んだ痩《や》せ型の中年男性である神保課長は、そう言うといそいそと会議室を出ていった。

「じゃあ、カッキーはパソコンの準備をして。毎月の試算表[4]の数字をすべてパソコンに打ち込むのよ」

というわけで、僕に今日与えられた最初の仕事は、この毎月の試算表を会社からお借りして、数値をひたすらパソコンに打ち込むという〈月次推移表〉の作成になった。

四月の売上は一五〇〇万円、五月の売上は一七〇〇万円、六月の売上は一四〇〇万円……。

このようにひたすら数値をパソコンに打ち込み、月ごとの動きや特定の月に異常な数値が出ていないかを調べるのである。こういうのを〈分析的手続〉といい、監査で重視される手法の一つである。

二時間ほどして、エクセルへの数値の打ち込みを完了した僕は、データをプリントアウトして、さっそく萌さんに見てもらった。

「うーん、おかしいわね。費用にしても収益にしても何らおかしな変動はないわ。じゃあ、カッキー、今度は五年分の試算表をもらってきて、それを打ち込んで」

今度の仕事は五年分の数値を打ち込んで〈年次推移表〉を作成し、その変動を見るという〈分析的手続〉だ。

　また、二時間ほどして、エクセルへの数値の打ち込みを完了。出来上がった表を、また萌さんに見てもらった。

「うーん、ここ五年間で見てもおかしな数値は発生していないわね。ということは、毎年決まった金額だけ裏金を作っているということかしら」

　萌さんは困った顔をしていた。

　時計を見るともう十二時をまわっていた。

「萌さん、『お昼いかがですか』とさっき工場長がおっしゃっていましたけど、行かなくていいのですか？　この時期の富山ですから、きっとホタルイカとかご馳走《ちそう》してもらえますよ[5]」

　僕は萌さんに言った。

「へぇー、ホタルイカねぇ。あの小さくてツルッとした食感がたまらないのよね——じゃ、ないでしょ、カッキー！　もう十二時を過ぎているのよ。今日中に東京に戻らないといけないんだから、羽田行きの出発時刻と富山空港までの時間を考えると、タイムリミットは午後六時。もう、あと六時間もないのよ。今日はお弁当を取ってもらいましょう。ちょっと、畠山工場長に言ってきて」

「はい。でも楽しみにしていたんですけどね、ホタルイカ」

僕は〈せっかく出張に来たのに〉という思いがあったため、ちょっと気落ちした。

そんな僕の様子を見てか、萌さんが言った。

「そうそう。去年この工場に監査に来た先輩が言っていたんだけど、ここの昼食ではホタルイカをおつまみにしてビールが出るそうよ」

「あっ、それいいじゃないですか。真っ昼間からビールなんて贅沢《ぜいたく》の極みですよ」

「あのねぇ、ビールが真っ昼間から出てきちゃ、あとは監査にならないじゃない！　ここの人たちはきっと〈UK〉を隠すために、これまで〈ホタルイカ＆ビール作戦〉で会計士を骨抜きにして、発覚を逃れてきたのよ」

「でも、酔わない程度に飲めばいいというわけには……」

「ダメッたら、ダメ！〈監査一般基準・八――監査人は、仕事中に酒を飲んではならない〉っていう条文を専門学校で習わなかったの⁉」

「――〈仕事中に酒を飲んではならない〉って監査人じゃなくても、社会人として常識じゃないですか」

「まあ、そうなんだけど。でも、会計士の場合それが常識とは思っていない人もいるから、ちゃんと条文にして書いておかないと、昼間からビールをガバガバ飲む人も出てくるのよ。

だから、何が何でもホタルイカやビールはダメ。会計士の品性が疑われるからね。それじゃあ、とっととお弁当食べて次の仕事に取りかかるわよ！」

4

十二時半頃、会議室に海の幸がふんだんに盛り込まれた立派なお弁当が運ばれてきた。僕らはお弁当を頬張りながら、午前中の監査について話し合った。

「……それで、萌さんのほうは何か成果が上がりましたか」

萌さんは、売掛金などを絡めた簿外入金のほうについて調べていたので、僕はその結果について訊《き》いてみた。

「こっちも成果はないわね。この工場の売上はすべて東京の本社に対してなの。だから、東京本社の仕入金額とこっちの売上金額が一致していなければ不正の疑いがあったんだけど、いくら調べても完璧《かんぺき》に一致していたわ。ほかへの売上も考えにくいから、簿外入金の可能性は低いわね」

時間はもう一時をまわっている。

萌さんの言うタイムリミットの午後六時まで、あと五時間。

「仕方ないわね。あとは、架空出金のほうをなんとしてでも見つけるしかないわね。カッキー、最終手段に出るわよ――」

神保課長に頼んで、〈証憑類《しょうひょう》〉と書かれた大きなファイルを数冊持ってきてもらった。

この〈証憑類〉のファイルには、すべての出費についての証拠となる資料、具体的には領収書や納品書、請求書などが入っている。これは、会社が出金したときに相手の会社からもらう書類なので、出金したという事実を示す動かぬ証拠になるのである。

つまり、帳簿上は出費があるのに、領収書などがないものがあれば、それは架空出金の可能性が高いのである。

「それじゃ、カッキー。手分けして、すべての出費について調べるわよ。私は仕入をやるから、カッキーは販管費をやって」

販管費とは、「販売費及び一般管理費」の略称である。一言で販管費といっても、〈販売促進費〉〈荷造運賃〉〈賃借料〉〈役員報酬〉〈給料手当〉〈退職金〉〈福利厚生費〉〈リース料〉〈通信費〉〈旅費交通費〉〈支払手数料〉〈保険料〉〈水道光熱費〉〈消耗品費〉〈交際費〉などなど……と無数にある。

「えーっ、萌さん。これをすべて一つ一つ調べるんですか」

「当たり前でしょ、それくらい。カッキーには真実を追求する会計士としての根性はないの？　専門学校で習ったでしょう、〈会計士は、一に辛抱、二に忍耐、三、四がなくて、五にど根性〉って」

「そんなの専門学校時代に聞いていたら、受験する気なんてなくすじゃないですか。だいたい、朝と言っていることが違いますし」

「あー、つべこべ言わない！　もう、さっさと始めてよ。今晩は東京で大事な用事があるんだから本当に時間がないのよ！」

萌さんはそう言い放つと、さっそく自分の仕事に取りかかった。

――三時間後。

「ふーっ、萌さん。全部調べましたけど、すべての費用にちゃんと領収書がありましたよ。カラ出張もなかったですし。どれひとつ不審なものなんてありません」

僕は徹底的に調べたのだが、費用のほとんどすべてに領収書がちゃんとあり、領収書がないのといえば、千円程度の交通費ぐらいであった。こういった細かい交通費については、領収書がないのも仕方がない。

「うーん、困ったわね。私のほうも、おかしいものがないのよねぇ。どうしよう、もう四時をまわったし」

萌さんも腕時計を見ながら困り果てていた。

「萌さん、ちょっと質問してもいいですか」

僕はちょっと気になったことを訊くことにした。

「いいわよ、何？」

「領収書が絶対もらえない出費ってないのですか」

「まあ、交通費や募金とかだけど、領収書がもらえないのはどれも少額の場合だけだからね。とても飲み代を払えるだけの裏金を作るのは不可能だわ」

「じゃあ、領収書があってもお金を払わなくてもいいものってないんですか」

「領収書があってもお金を払わなくてもいいものねぇ。架空の領収書とかだったらそれも可能だけど、これまで調べた中では偽造領収書もなかったしね」

「それじゃあ、えーっと、えーっと……」

「カッキー、もうネタ切れなの!?」

「そんなこと言わないでくださいよ！　萌さんのほうこそ、何かないのですか」

「そうねぇ——北アルプスって本当に綺麗《きれい》よね」

萌さんは窓のほうを見つめながら言った。

「萌さん！　現実逃避しないで真剣に考えてください！」

「わかっているわよ——でも、ちょっと待って。北アルプスに、綺麗な山脈、絵はがきのような風景——あっ、わかったような気がする」

萌さんはそうつぶやくと、もう一度ノートパソコンを開いて〈年次推移表〉のデータをまじまじと見つめた。

「そうよ、そうよ。なるほど、これは確かに〈UK〉よね。それに、この工場にこの数値は確実におかしいわ。毎年ほぼ同じ金額だけど、この金額は大きすぎるし」

萌さんはそうつぶやくと、僕のほうを振り返って真剣な顔で言った。

「カッキー。畠山工場長と神保さんを呼んできて！　あと、北アルプスの絵はがきも準備しておいたほうがいいかもね——」

5

畠山工場長と神保課長が僕らのいる会議室に入ってきた。

「藤原先生、柿本先生、お疲れさまです。今回の監査はもう終えられたのですね。それではもう飛行機の時間もあることですし、タクシーのほうをご用意しておきますから」

畠山工場長は丁寧な口調でそう言うと、タクシーを呼ぶために会議室を出ようとした。

「畠山さん、ちょっと待ってくださいませんか」

「えっ、藤原先生。まだ終えられていなかったのですか」

「いいえ、監査はおかげさまで終了致しました。実は、ちょっとお願いしたいことがあるのですが」

萌さんは上目遣いに言った。

「おや、それは一体なんですか」

畠山工場長が尋ねた。

「誠に申し訳ないのですが、うちの柿本が絵はがきを出したいと言っているので、もしよろしければ切手を一枚頂戴《ちょうだい》できませんでしょうか」

「えっ、萌さん！　僕、ちゃんとさっき切手を買ってきましたよ」

驚いて、萌さんに小声で耳打ちした。

「カッキーはちょっと黙っていて！　あとで事情は説明するから」

萌さんに逆にそう耳打ちされたので、黙っておくことにした。

「藤原先生、切手ですね。いいですよ、安いものですから。一枚でいいんですよね。神保課長、経理部から切手を持ってきてくれないか」

畠山工場長は神保課長に命じた。

「あっ、神保さん、ちょっと待っていただけませんか。できれば、ついでにこの工場にあるすべての切手を見たいのですけど、よろしいですか」

萌さんは最高の笑顔で、畠山工場長や神保課長に了解を求めた。

「……すべてですか」

笑顔の萌さんとは逆に、畠山工場長と神保課長の顔面がみるみる蒼白《そうはく》になっていった。

「ええ、切手をすべてです」

萌さんが相変わらず最高の笑顔で、しかし念を押すように強く言った。

僕らは経理部の中へと案内された。そして、神保さんは壁際にある戸棚の引出しの一つを開けた。

「切手を保管している場所はここなのですが……」

神保さんは恐る恐る萌さんに言った。

「そうですか。それでは、柿本さん、切手の枚数を確認してもらえませんか」

そう言われて、僕は引出しの中から切手を取り出した。

「ええーっと。五十円切手が五枚と、八十円切手が三枚。そして、二百円切手が一枚ですね」

「柿本さん、ありがとう。金額ベースでいうと全部で六九〇円ですね、神保さん」

萌さんが神保さんのほうを直視して言った。

「……」

神保さんは沈黙している。

「あれっ⁉　おかしいですね。確か、試算表では郵便などの通信費は毎月一〇万円から二〇万円ほどになっていたはずですが。それも領収書を見ましたら、そのほとんどが郵便切手購入のようでした。ということは、よっぽどここの工場では郵便物が多いのですね」

「……」

「でも、手元にある切手がわずか六九〇円って、おかしくありません？　毎月一〇万円以上も購入するのでしたら、もう少しここに多く残っていてもいいのではありませんか？」

「……」

「もしかしたら、もう全部切手は使い切ってしまったのかしら？　でも、この工場がＤＭを大量に発送しているという話はまったく聞いておりませんが——購入した月一〇万円の切手がどこへの郵送に使われたのか、教えていただけませんか」

「……」

「〈郵便切手〉については、購入時には領収書をもらえますが、使うときは手紙に貼ってしまうので、使ったという証拠が残らないですよね。だから、私たちが調べても切手の行方はわかりませんでした。もしかしたら、この工場のどこかに〈郵便切手〉だけ残っていません？」

「……」

畠山工場長と神保課長はずっと沈黙を守ったままだった。

「──も・し・か・し・て、〈郵便切手〉を大量に買って保管しておき、切手の使用は領収書がいらないのをいいことに、使い終わったことにしているとか──」

萌さんは再び上目遣いで二人を見た。しかし、彼らは顔面蒼白で黙ったままだった。

「つまり、私はあなた達が通信費という架空の出金をでっち上げている、って言っているのよ」

それまで丁寧だった萌さんの口調が明らかに怒りを含んだものに変わっていた。畠山工場長と神保課長の表情は完全に凍りついていた。

「あのー、萌さん。裏金作りに切手を使っていたというのはわかりましたが、いまいちそのカラクリがわからないのですが……」

沈黙が支配する中、僕は恐る恐る萌さんに訊《き》いてみた。

「仕方ないわねぇ、カッキー。じゃあ、説明するわよ。まずね、郵便局とかで切手を大量に買うじゃない。例えば、ひと月に一〇万円ね。そして、その切手一〇万円分は通信費として使ったことにしてしまうの。次に、一〇万円分の切手を格安チケット屋に持っていって換金すれば、一〇万円の切手なら九万五〇〇〇円くらいで売れるじゃない。これを繰り返せば、一年で一〇〇万円くらいは軽く貯まるでしょ」

「なるほど、実際に出金して買った切手をまた現金に戻すことで、架空出金にするんですね。領収書は切手を買ったときにもらえるから、切手を使ったかどうかなんて全然気にしなかったですよ。でも、萌さん、いつそのカラクリに気が付いたのですか」

「今朝、カッキーが北アルプスの絵はがきの話をしたとき、私が言ったでしょ。『切手を売って五十円儲《もう》ける』って。切手は換金しやすいってことを思い出したのよ」

萌さんはそう言って僕にウインクしてくれた。

6

その後、畠山工場長、神保経理課長はともに裏金作りについてその事実を認めた。もう十年以上前からやっていたことらしく、裏金の総額は三千万円以上。あまり堂々と表で使えない費用については、すべてこの〈ＵＫ〉と呼ぶ裏金を使っていたそうだ。

どうして〈ＵＫ〉かというと、〈郵便切手〉だから〈ＵＫ〉だそうだ。

僕にはどうでもいいことにしか思えなかったが、萌さんは〈郵便切手〉だったら〈YK〉じゃない！　と最後まで工場長に嚙《か》みついていた……。

時計の針はもう六時を指し示そうとしていた。僕らはもう時間がないため、会議室に戻って帰り支度を始めた。

「萌さん、この裏金の件についてはどうするのです？　とりあえず、警察に告発しますよね。それから、それが新聞記事になって、そのあとテレビのインタビューに応《こた》えて……」

僕は、レポーターを前に〈いやー、この裏金のカラクリを発見するのには苦労しました〉と語る自分の姿を想像していた。

「――カッキー、目を覚ましなさい！　そんなに話が大きくなるわけがないじゃない。私たちは何もしないわよ」

萌さんが、冷たい目つきで言った。

「えー。テレビや新聞に出るんじゃないんですか⁉　せめて富山ローカルでも……」

「テレビや新聞に出ないのはもちろんのこと、警察なんかにも言わないわよ」

「ど、どうしてですか？　三千万円もの裏金があったんですよ。どうして、何もしないのですか⁉」

「カッキー。私たちの仕事は不正を暴いたり、悪を懲らしめることでは決してないわ。私たちの仕事は〈企業の発表する数字が正確である〉ということを証明することよ。だから、私たちは確かに裏金を発見したけど、帳簿をちゃんと訂正するかどうかの判断は大伴飲料の人たちがすることなのよ」

萌さんは僕をさとすように言った。

「じゃあ、もし、裏金について大伴飲料が公表しなければどうなるのですか」

「そうね。そのときは会計士としての権力を使うのよ。つまり、〈この企業の発表する数字が正確である〉ということを証明してあげないの。まあ、こんな権力使っちゃったら、会社は潰《つぶ》れちゃうかもしれないから、できれば使いたくはないけどね」

萌さんはいたずらっ子のような表情で笑った。

「いい？　私たちは経済の世界に一つしかない鏡なの。企業の良い所も悪い所もそのまま映し出す真実の鏡。鏡は決してしゃべらないし動かない。でも、絶対嘘はつかないから、みんな信頼して鏡を見てくれるのよ。だから、これからも鏡をピカピカに磨いていってね、カッキー」

「あーっ、もう六時半じゃない！　運転手さん、富山空港まで死ぬほど飛ばして！　もう赤信号なんて無視していいわ、私が許す」

萌さんが腕時計を気にしながら、タクシーの運転手に向かって命令している。

「……萌さん。あなたには道路交通法を無視してもいい権力なんてないでしょ。無茶を言ったら運転手さんに悪いですよ」

「なんなのよ、カッキー。感じ悪いわねぇ。私はどうしても早く東京に帰りたいの！ あなたに私の合コンを邪魔する権力なんてあるの？」

「えっ……萌さん、もしかして今日は合コンが入っていたから、朝からずっと時間を気にしていたのですか⁉」

「しまった、つい言ってしまったわ――」

「萌さん、また合コンに行くんですか」

「また行くんですか、とは失礼ね。今日はちゃんと作戦を考えてきたから大丈夫よ。今回はスチュワーデスのふりをするの。帰りの飛行機でスッチーの仕草とかよく観察しなくっちゃ」

「また、職業を偽るんですか？ いくら女性会計士が堅そうだし年収も高いから男性から敬遠されるとはいえ、嘘をつくのはよくないと思いますよ」

「もう、うるさいわねぇ。私たちって飛行機の出張が多いからスッチーみたいなもんじゃない！」

「いいえ。たとえ飛行機の出張が多いとはいえ、スッチーとはまったく世界が違います」

「だいたい、世の男性にスッチーとかナースみたいな制服好きが多いのがよくないのよ！私たち会計士にもかわいい制服があればいいのに〜」

「嫌です。制服なんて死んでも嫌です」

タクシーの中では、監査の話をしないのは鉄則である。

僕は思った。

だからといって、こんなどうでもいい話をしなくてもいいのに、と。


［1］〈会計士補〉とは公認会計士二次試験に合格すると与えられる資格。会計士補として三年間仕事をし、公認会計士三次試験に合格すると〈公認会計士〉となる。

［2］ノートパソコンは僕ら会計士にとって必需品である。なぜなら、監査結果の情報はもちろんのこと、監査の手法や各企業の内部データもすべてこの小さなノートパソコンに詰め込まれているからである。これらの情報はもちろんすべて重要機密。もし、外部に流れるような事があれば一大事である。

［3］普段、経理部の方たちは会社の経費で飲む機会が少ないため、会計士が出張で監

査に行くと、ここぞとばかりに〈会計士との親睦《しんぼく》を深める〉という名目で飲みに行くこともある。

［4］試算表とは、会社の資産・負債・資本・費用・収益といったすべての数値が書かれてある表のことである。これは普通、月ごとに集計されて作られている。

［5］会計士の昼食代が会社負担になるかどうかは、当初の監査契約によって異なるため、すべての会社で昼食をおごってもらえるわけではない。

監査ファイル2

# 〈株と法律と恋愛相談〉事件

## ――債務保証・商法の話――

1

十二月下旬。

「あの、萌さん。ちょっと相談があるんですけど」

「なあに、カッキー。私に恋愛相談なの?」

「はぁ?」

「いいの、いいのよ、隠さなくても。その顔は恋に悩んでいる顔ね。でもね、カッキー。自分が好きな人に恋愛相談するのは、あまり感心できることじゃないわね」

「とっ、とっ、突然、何を言い出すのですか⁉」

「確かに、恋愛相談にかこつけて自分の想いを伝えるというのは告白の常套《じょうとう》手段よ。告白するほうは〈振られて悲しいんだ〉とか言って、自分が慰めてほしいことをアピールするつもりでしょうね」

「ちょ、ちょっと待ってくださいよ」

「でもね、そのときの告白されたほうの気持ちとか考えたことある？　〈なんだ、この人振られたから私のほうに来たのかぁ〉って引いちゃう場合もあるのよ。そういったこともちゃんと考えてから告白しなさい。要は〈利害関係がある人に相談したらうまくいくこともいかなくなる〉のよ。それにね……」

「だ、だから、ちょっと待ってくださいよ、萌さん。まずちゃんと僕の話を聞いてください！」

「えっ、何よ。これからが〈萌実恋愛論〉のいいところなのに」

「あのですね。僕が相談したいのはこの科目の質的重要性についてです。なんで、監査中に恋愛相談なんてしなきゃならないのですか！」

「そっ、そうだったの……。それならそうと、あんたも早く言いなさいよ！　ベラベラしゃべり続けた私がバカみたいじゃない！」

「……」

今週の監査は電子機器の部品などを作っている株式会社タチバナ製作所。東京郊外にある中規模の企業である。

中規模であるため、萌さんと僕の二人で期末監査[6]を行っている。その気楽さのせいもあるのか、萌さんはいつにもまして暴走していた。

「萌さん、それで相談なのですけど、販管費の雑支出の中に〈相談費用　五万円〉というのが当期から新たに発生しているのですが、やはり調べたほうがよろしいですか」

「そうねぇ。五万円という金額を考えると少額だから無視してもいいんだけど、〈相談費用〉という名目が引っかかるわね。一応、会社の人に相談の内容を訊《き》いておいて」

「わかりました」

「〈相談費用〉ねぇ、……やっぱり恋愛相談かしら」

「そんなわけ絶対ないですよ」

## 2

〈相談費用〉について会社の経理の人に訊いてみると、なんでもこの会社の社長がコンサルタントを呼んで相談した費用だそうだ。そのため、経理の人にも詳しい内容は知らされていないらしい。

「萌さん、どうします？　社長しか知らないらしいですよ。経理の人はもちろん部長や常務もこの内容について知らないそうです」

「社長が一人で相談ねぇ……カッキー、これって怪しいと思わない？　やっぱりこれは恋愛相談よ」

「はぁ、まだそんなこと言っているのですか」

「いや、きっとそうよ。〈妻が最近冷たいがどうしよう〉とか〈愛人から慰謝料を請求されたのだがどうしよう〉とか言って相談しているのよ」

「萌さん、ばかなこと言わないでくださいよ。それで、どうします？　これ以上調べますか、それともこれでもう十分ですか」

「カッキーこそ、ばかなこと言わないでよ。もちろん、調査続行よ。その社長をここに連れてきなさい！」

「えっー、そんな大変なこと僕が頼むのですか。嫌ですよ」

僕らは普段、経理部長・財務部長といった偉い人たちと接する機会は多いが、さすがに社長ともなるとスタッフレベルでは会うことなんて滅多にない。その社長を監査の部屋に呼びつけることなど、もってのほかである。

トン、トン、トン

監査で使わせてもらっている応接室のドアがノックされたのは、そんなときだった。

「どうぞ、開いていますよ」

僕がそう返事をすると、ドアから年老いた小柄の男性が現れた。

「お忙しいところ失礼しますよ。いつもお世話になっております、タチバナ製作所社長の橘《たちばな》でございます」

橘社長はそう言うと僕らに丁寧にお辞儀をした。

「はっ、はじめまして。お世話になっております。柿本一麻と申します。よろしくお願い致します」

僕は慌てて立ち上がり、緊張の面持ちで橘社長に挨拶《あいさつ》をした。そんな僕の横で、萌さんは橘社長に向けて手をひらひらさせていた。

「あっ、社長さんお久しぶり。最近、業績が横バイよ、しっかりがんばってるの？」

「もっ、萌さん。社長に向かって失礼ですよ」

僕は小声で萌さんに注意した。ところが、

「柿本さん、いいんじゃよ、いいんじゃよ。藤原さんには、いつもお世話になっているからのう。なんでも遠慮せずに言ってくだされ」

橘社長は笑いながらそう言った。

「それで、社長さん。この前コンサルタントを呼んで何か相談したんだって。一体、何を相談したの？」

萌さんは相変わらず軽い口調で橘社長に尋ねた。

「いやのう、実はそれは最高機密の話なんじゃ。だからここだけの話ということで、よろしくお願いしますよ」

3

橘社長は周りに誰もいないことを確かめ、静かに語り始めた。

「実はのう、うちの会社の株が買占めに遭っているんじゃよ」

「買占め!? 一体、どこによ」

「それが、何だか得体の知れない〈ロードミラー〉という投資集団なんじゃ」

橘社長の話によると、これまで筆頭株主だった長屋工業が外資系企業の傘下に入ったため、それまで持っていた大量のタチバナ製作所株を放出したそうだ。そして、市場へと流れたその大量の株が、いつの間にか投資集団〈ロードミラー〉に買われ、今や議決権の半数（四〇〇〇万株）を超える勢いで買い占められているらしいのだ。

「なるほど。タチバナ製作所の技術力は高いから、タチバナ製作所を乗っ取ってより高い金額で売ろうという魂胆ね」

「それでワシはな、企業買収とかに詳しいというコンサルタントを呼んで相談したんじゃ」

「どうして、社長さん一人で相談したの？　専務さんや常務さんとかも交えて相談したほうがよかったんじゃないの？」

「いや、それがな藤原さん。そのコンサルタント、公認会計士の資格も持っている和気さんという人なんじゃが、〈乗っ取りの話で社員に動揺が広がれば、業績にも悪影響が出ます。ぜひとも、この件については社長お一人でご判断ください〉と彼に釘《くぎ》を刺されたんじゃ」

「なるほどね。それで、その和気さんっていう会計士コンサルはどうしろって言ったの？」

「それが、和気さんの力でなんとかしてくれると言うんじゃ。なんでも和気さんの知り合いが経営している宇佐興業という会社が〈ロードミラー〉と付き合いがあって、〈ロードミラー〉から宇佐興業がうちの株を買い取れるようにとお願いしてくれるそうじゃ」

「仮にそれが成功したとしても、宇佐興業が買ったタチバナ株はどうなるの？」

「年末の時価で宇佐興業が持つタチバナ株をうちが買い取る、という契約を結ぶつもりじゃ。これがうまくいけば乗っ取りを阻止できるじゃろう。ワシはいい話だと思うんじゃが、藤原さんはどう思うかのう？」

橘社長にそう聞かれた萌さんはしばらく考え込んでから言った。

「うーん、なんだかうますぎる話ね。それで、和気さんはなにか条件を付けてきているんじゃない？」

「そうなんじゃ。実は一〇〇億円の債務保証[7]も依頼されたのじゃ」

債務保証とは、特定の人が借金を返せなくなったときに肩代わりをするという約束のことである。

「債務保証って、一体誰の借金を保証するのよ」

「その例の和気さんの知り合いという宇佐興業じゃ。なんでも宇佐興業は最近業績が思わしくないから、債務保証がないと銀行がお金を貸さんと言っているらしいんじゃ。和気さんにお世話になるんじゃからこれくらいよかろうと思ってな、これも承諾したんじゃ」

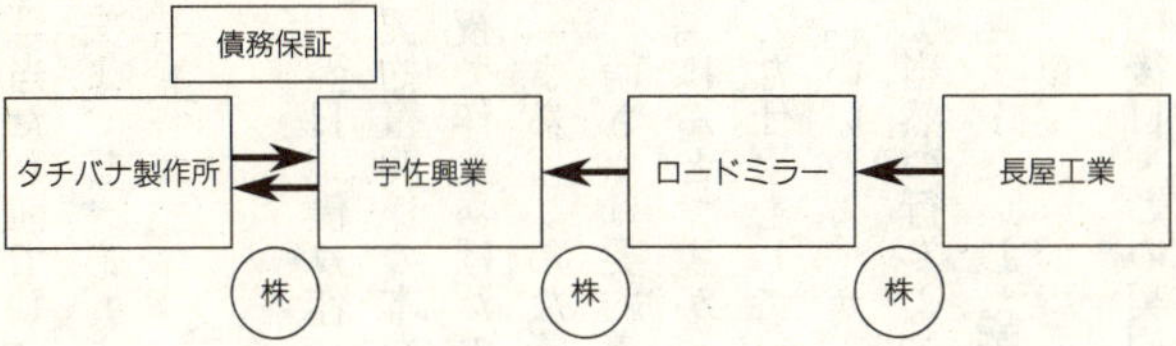


「一〇〇億円の債務保証ねぇ。けっこうな金額じゃない。うーん」

萌さんはまた何か考え込んでいるようだった。

「萌さん、何をそんなに考え込んでいるんですか。タチバナ製作所は乗っ取りを防げるし、宇佐興業も借入れができるし、和気さんにもコンサルタント料が入るし、みんなにとっていい話じゃないですか」

「でもねー、その辺がちょっと引っかかるのよね。そういえば社長さん、契約とかはもう交わしたの？」

「いや、まだじゃが」

「そうなんだ。じゃあ、早く契約を結んだほうがいいわよ。その契約書は私たちが作って差し上げますから」

「えっ、萌さん。会計士がそんな契約書とか作っていいんですか」

「だって、そのコンサルの和気さんだって会計士なんでしょ。私たちが作っても一緒よ」

「まあ、そう言われればそうですけど……」

「じゃあ、カッキー、作成のほうよろしく。明日までだからね」

「ええっー！　僕が作るのですか。そんなこと聞いていませんよ！」

「当たり前でしょ、今言ったんだから。受験のときに商法を勉強しているんでしょ、大丈夫よ。じゃあ、よ・ろ・し・く・ね」

「――」

翌日、僕は作った契約書を持ってタチバナ製作所に行った。前夜、監査法人の図書室で契約書関係の本を片っ端から借りて、〈債務保証契約書〉や〈株式買取契約書〉などを徹夜で作りあげたのだ。

「まあ、こんな感じよね。いいんじゃない」

萌さんは契約書を見ながら言った。

「ほんとですか、良かった。それにしても、今になって言うのも変ですけど、監査人がこんな仕事もしていいのですか」

「いいのよ、サービス、サービス。自分の知識を生かして喜んでもらうというのは人として当然の行為よ。だいたい、たいした苦労じゃないし」

「……たいした苦労じゃないって、苦労したのは僕なんですけど」

後日、この契約書により宇佐興業との契約は見事に成立したそうだ。

また来月も監査でタチバナ製作所に行くので、そのときにこの契約の成果がわかるだろう。

4

一月上旬。

「藤原さん、柿本さん！　じ、実は、大変なことになったんじゃ」

僕らがタチバナ製作所に着いた途端、青ざめた顔をした橘社長が息を切らして僕らのほうに駆けて来た。

「社長さん一体どうしたのよ。箱根駅伝にでも影響されてマラソン大会でもやってるの？」

「馬鹿なことを言わんでくだされ。うちの株が年末に急に値上がりしよったんじゃよ。十二月中旬まで二五〇円じゃったのが、年末には五〇〇円になったんじゃ」

「橘社長、それは良かったですね。タチバナ製作所の業績の堅調さが評価されたのですね」

僕は笑顔で橘社長に言ったが、橘社長の顔は青ざめたままだった。

「そのせいで、二〇〇億円もの大金を請求されてしまったのじゃ……」

「えっ!!」

驚いている僕にひきかえ、萌さんはとても冷静だった。

「——カッキー、忘れたの。年末の株価でタチバナ株を買い取る、っていう話を」

そうだったのだ。宇佐興業が〈ロードミラー〉から引き取ったタチバナ株を、タチバナ製作所は年末の株価で買わなければならないのだ。

「株価が二倍になったということは……」

「そう、買い取り価格も二倍になったということよ。これは大変な事態になったわね……」

僕らは応接室で橘社長の話を聞くことにした。

橘社長の話によると、宇佐興業は〈ロードミラー〉からのタチバナ株（四〇〇〇万株）の買い取りに見事成功したらしい。しかし、次の宇佐興業からタチバナが買い取る段階になって問題が発生したのだ。つまり、年末に株価が五〇〇円にまで値上がりしたため、宇佐興業はタチバナ製作所に対して二〇〇億円（四〇〇〇万株）を請求したのだ。

「社長さん、それで二〇〇億円は払う気なの？」

「そ、それは無理じゃよ。二〇〇億円なんて、うちでは簡単には払えんわい。一体、ワシはどうしたらいいんじゃ。よりにもよってこんな時期に値上がりするなんて」

橘社長は頭を抱えていた。しかし、萌さんは意外にも冷めた顔をしていた。

「社長さん。タチバナ株の値上がりが偶然だとでも思っていたの？」

「えっ、萌さん。値上がりは偶然じゃないのですか⁉」

「当たり前でしょ。こんな時期に急に値上がりするなんて、どう考えても不自然よ。これは株価操作だわ」

「株価操作⁉」

僕と橘社長は目をまるくした。

「そう、株価操作。だって、今発行されているタチバナ株は八〇〇〇万株。そのうち宇佐興業が〈ロードミラー〉から買い取った株が四〇〇〇万株で、社長さんや従業員持株会が持っているのは四〇〇〇万株弱。ということは、流通している株は実質数万株。そんな少量の株しか流通していない市場では、ちょっと買い注文を連発するだけで株価はぐいっと上がるわよ」

「なるほど。でも萌さん、たとえそんな市場でも株価を二倍にするには相当なお金が必要なのじゃないですか」

「そうね、何十億円というお金が必要ね。でも、あいつらならそんだけのお金を準備できるでしょ」

「あいつらって一体……」

「カッキー、まだわからないの⁉　宇佐興業よ、宇佐興業」

「でも、宇佐興業って銀行からお金が借りられないほど体力がないんじゃなかったのですか」

「だから、タチバナ製作所に債務保証をお願いして一〇〇億円ものお金を銀行から調達したんでしょ。そのお金をこの株価操作に使ったのよ」

なるほど、宇佐興業は借りた一〇〇億円を使って〈ロードミラー〉から株を買い、さらに株価操作を行い、二〇〇億円をタチバナ製作所から巻き上げようとしているのだ。つまり、タチバナ製作所の恩を見事に仇《あだ》で返したわけだ。

「そ、そうじゃったのか。それならば早く和気さんにも知らせなきゃならんの」

橘社長の言葉に対して、萌さんは相変わらず冷めた顔をしていた。

「社長さん、まだ寝ぼけているの。当然、和気さんも宇佐興業とグルなのよ。もしかしたら〈ロードミラー〉ともグルかもね」

「ワ、ワシは騙《だま》されたというのか……」

「結果から言えばそうね」
「ワ、ワシは一体どうしたらいいんじゃ……。今日の午後には宇佐興業の奴らが二〇〇億円を請求しに来るというのに……」

バタン!!

橘社長は頭を抱え込みながら倒れてしまった。僕は急いで橘社長を抱き起こした。その横で、萌さんは橘社長に優しく語りかけた。
「社長さん、大丈夫よ。前もってちゃんと手は打ってあるから――」

5

午後になって宇佐興業の社員四名と和気さんがタチバナ製作所にやってきた。これに対するは橘社長と萌さんと僕。この乗っ取り阻止大作戦はほかの社員には秘密だったので、監査人であることを隠して僕らが助っ人《すけと》として参加することになったのだ。
僕らは、監査部屋とは別の応接室で応対した。

「橘社長、御社にとっては大変タイミングの悪い株価になってしまいましたが、これも契約上仕方がありません。それで二〇〇億円のほうは用意していただけましたか」

会計士コンサルの和気さんは、落ち着いた口調で橘社長にそう言うと、僕が作ったあの契約書をテーブルの上へと置いた。

「ちょっと、それはおかしいのではないですか！　そもそもこんな株価になったのはあなたたちが……」

僕が株価操作について糾弾しようとしたのを、萌さんが冷静に止めた。

「カッキー、やめなさい。今そんなことを言っても始まらないわ。だいたい、こっちには株価操作をしたという証拠がないんだし」

萌さんは小声で僕だけに聞こえるように言った。

「でもですね……」

「だから、私に任せておきなさい」

萌さんはウインクをして言った。

「今すぐにでも二〇〇億円を支払うと約束してください。そうしないと、御社を契約不履行で告訴しますよ。それでもいいのですか！」

和気さんが語気を強めて言った。しかし、萌さんは不思議なほど涼しげな顔をしていた。

そして、ついに口を開いた。

「——あの、こちらとしてはいつでも訴えてくださって結構ですわよ」

その言葉に和気さんの目が険しくなった。

「何だね君は。秘書か何者かは知らないが、余計なことを言うとそちらの社長の立場が苦しくなるだけだぞ」

「私、その契約書を読ませていただいたのですけど、これ少しおかしくありませんの？」

「なっ、なに⁉」

和気さんの驚きをよそに、萌さんは語り出した。

「これはタチバナ製作所が宇佐興業という特定株主に対して買い取りを約束するという契約ですわよね」

「まあ、確かにそういう言い方もできるが……」

「でしたら、タチバナ製作所が特定株主に対してその大量の株式の買い取りを保証することは、タチバナ製作所の負担で特定株主のみを有利に処遇することになるので、商法の株主平等原則に明白に違反していないかしら？」

「なっ、何を一体言い出すのだ、君は」

「さらに、自社株を買い取るには十三年改正商法二一〇条一項により定時総会の決議が必要ですわ。しかし、このことは社長が一人で決断しており総会決議がなされた事実などまったくないので、この契約はそもそも無効になるのではないかしら」

「そ、それはだな……」

「ついでに言わせていただきますと、宇佐興業に対して行われた債務保証一〇〇億円は商法二六〇条二項二号の〈多額ノ借財〉に当たりますから、取締役会の決議が必要ですわ。しかし、取締役会決議も存在しなかった——」

「だ、黙れ!」

「債務保証についても社長が一人で決断している、という事実はあなたも知っていたのでしょう。たとえ知らなかったとしても、取締役会議事録の写しを請求するといった方法で決議の有無を確認すべきであったのに、それを調べることを怠っていますわね。これは重大な過失と言えますわよ。もしよかったら、株式買取契約だけでなく一〇〇億円の債務保証についても無効を主張できますが、どういたしましょうか。和気さん?」

和気さんはついに無言になってしまった。

——この勝負、萌さんの勝利で終わった。

萌さん主導による話し合いの結果、宇佐興業はタチバナ株を契約時の株価二五〇円でタチバナ製作所に売ることになった。宇佐興業にはタチバナ株を売らずに持っておくという選択肢も確かにあった。しかし、自分たちで吊《つ》り上げた高い株価で他者に売ることは到底できず、また銀行への債務保証を無効にされたら借入れが撤回される危険もあったので、渋々二五〇〇円で売ることにしたのだろう。

「今回は私の完敗だ。それにしても、お前は一体何者なのだ？」

帰り際、和気さんは萌さんに言った。

「えっ、私？　私はただのかわいい女子大生よ」

萌さんはいたずらっ子のような笑顔で答えた。その横で僕は思わずつぶやいてしまった。

「萌さん、かわいいは余計ですよ」

6

「萌さん。もしかして僕は、初めから無効になるような契約書を作らされたのですか」

タチバナ製作所からの帰り道、バスを待つ停留所で僕は萌さんに訊《き》いてみた。

「そうなるわね。今回はあいつらに不完全な契約を結ばせることが大事だったのよ」

「ひっ、ひどいですよ。一生懸命に作ったのに」

「だって仕方ないじゃない。あの話はどう考えてもおかしかったんだもん」

「どうしてです？」

「だって、和気さんの知り合いが宇佐興業で、その知り合いが〈ロードミラー〉だったんでしょ。ってことは、和気さんは〈ロードミラー〉のような集団に近い人物なのよ。その時点で危険だわ。だから、前にも言ったでしょ『利害関係がある人に相談したらうまくいくこともいかなくなる』って」

萌さんはわざと真面目な顔をして言った。

「前に言ったときとは、ずいぶんとシチュエーションが違いますけどね」

僕はちょっと吹き出してしまった。

「わかった？　だからカッキー、私に恋愛相談は禁物なのよ」

萌さんはそう言い残すと、停留所にやって来たバスに飛び乗ってしまった。

「そ、それは、だから一体……」

そこには、一人取り残され、顔を赤くしてあたふたしている僕の姿があった――。

[6]　期末監査とは、決算期終了後に行う監査で、財務諸表の数字の正確性を確かめる

うえで最も大切な監査である。三月決算の会社なら四、五月に、十二月決算の監査なら一、二月に行う。

［7］債務保証とは、第三者が借金などを返せなくなったときに肩代わりすることを保証すること。人的担保である。

# 監査ファイル3

## 〈桜の頃、サクラ工場、さくら吹雪〉事件

### ——未収入金・未払金の話——

1

三月上旬。

「萌さん、萌さん。ちょっとこの記事を見てくださいよ」

まだ肌寒さが残る三月の昼下がり、事務所で仕事をしていた僕は萌さんの目の前に新聞を広げた。

「えー、何なのよ。なになに、〈警視庁、過激派テロリストを一斉摘発〉?」

「違いますよ。そんな記事、僕らに関係ないじゃないですか。その隣です」

「〈桜の開花、例年よりも早く四月上旬には満開〉ってところ?」

「そうです、それです。それで、うちの事務所もみんなで〈お花見〉とかするんですか」

「あっ、そっか〜。カッキーってうちの〈お花見〉監査のこと知らないんだっけ」

「〈お花見〉監査!? なっ、なんですかそれは一体?」

「〈お花見〉監査っていうのはね、クライアント先に行って、ちゃんと規則に従った〈お花見〉をしているかどうかを監査することなのよ」

「ちゃんとした〈お花見〉って何なんですか」

「カッキーは、会計士協会が発表した〈お花見に関する実務指針〉を知らないの? 〈場所取りする者は新人に限る〉とか、〈斜面に陣取るとコップが倒れやすくなるので要注意〉とか、〈時期が遅れて葉桜だったとしても、お花見中はそのことに誰も触れてはイケナイ〉とか——」

萌さんが調子よくしゃべっていると、後ろから咳払《せきばら》いが聞こえた。

「ゴ、ゴホン。萌実くん、適当なことを言って新人を騙《だま》すのはやめんか」

「あっ、山上さん。もしかして〈お花見に関する実務指針〉って嘘なんですか」

「柿本くん、君はもしかしてそんな話を信じていたのかね」

山上さんとはうちの代表社員[8]の一人である。白髪で六十前後、厳しいことで有名な代表社員である。

「でもね、〈お花見〉監査というのは嘘じゃないわよ」

「萌さん、もう僕を騙すのはやめてくださいよ」

「いや、柿本くん。〈お花見〉監査というのは実際にあるのだ」

山上さんは真面目な顔で言った。

「〈お花見〉監査とは通称で、多摩にある吉野食品の子会社への監査をそう言っているのだ」

「どうしてですか」

「その吉野食品の子会社である多摩吉野食品は、地元の人から〈サクラ工場〉と呼ばれるほど、敷地内に見事な桜がたくさんあるのだ。多摩吉野食品は二月決算の会社で、ちょうど満開の時期に監査に行くから仕事のついでに〈お花見〉も行う。そのため、通称〈お花見〉監査と呼んでいるのだ」

「そうなのよー。ちゃんとカッキーもその多摩吉野食品の監査にアサイン[9]してあげているんだから、私に感謝しなさいよ」

ところが、萌さんのその言葉を聞いて、山上さんは少しつらそうな顔をした。

「——萌実くん。実は、今年からその〈お花見〉監査には行かなくてもよいのだ」

「えっー、どうして!? 私をアサインから外すの？ 私の唯一の楽しみを奪う気なの、山上さん！」

「萌実くん、別に君だけを外すわけではない。親会社のほうで、多摩吉野食品が今年度赤字であったら清算することが決まったのだ。よって、赤字であれば今後親会社の連結決算でも関係なくなるので、今回はわざわざ監査に行く必要はないと判断したのだ」

「ちょっと待ってよ。まだ決算は閉まったばかりよ。決算が固まるのはこれからじゃない！」

「しかし、一月の期中監査の時点でもう既に一億円の赤字なのだ。今年度の黒字化はまず無理だな。ただそこまで言うなら、今回は最後に一日だけ往査に行って構わないが――」

というわけで、萌さんと僕は多摩吉野食品株式会社に一日だけ監査に行くことになった。

2

三月中旬。

「萌さん、やっぱり桜はまだみたいですね」

多摩吉野食品のマークらしい〈桜の木〉が刻まれた門をくぐると、そこにはつぼみではあったが無数のソメイヨシノが敷地いっぱいに広がっていた。

「そうね。やっぱり四月に監査に来なきゃね。あー、決算が黒字になっていることを願うばかりだわ」

小さな工場の横を通り、この敷地の端にある本部棟へと行った。そこでは、〈桜の木〉の社章を着けた経理担当責任者、有間さんが出迎えてくれた。

「藤原先生、お久しぶりでございます。また、ここの監査の季節がやってきましたねぇ。しかし、おそらく今年が最後でしょうが……」

そう寂しげに語る有間さんは、白髪の優しそうな方であった。

「えーっ! 有間さん、やっぱり今年度は赤字になっちゃったの⁉」

「ええ。まだ固まったわけじゃないですが、一億円ほどの赤字がでる模様です」

「まだ諦《あきら》めちゃだめよ。決算は最終的に固まるまでは、いくらでも変わるわ。私としては何としてでも……」

そのとき、僕らのそばに一台のタクシーが止まり、一人の老人が車を降りた。

「やっ、山上さんじゃない。山上さん、今日はこちらには来ないと言ってませんでした?」

萌さんの驚きをよそに、山上さんは辺りを見回した。

「うむ、いつ見ても見事な桜並木だな。これも最後だと思うとやはり来たくなってな。それに……」

「それに、何ですの？」

「〈お花見〉に目がくらんだ萌実くんが、何をしでかすかわからないからな」

「そっ、そんなの余計な心配よ。わっ、私はいつもどおりに監査するだけで……」

そう言っている萌さんは、明らかに動揺していた。

僕ら三人は会議室に通された。そこで監査の準備をしていると、萌さんが小声で耳打ちしてきた。

「カッキー、よく聞いてね。今回は、特に費用の払い過ぎや収益の計上漏れに注意して監査するのよ」

「えっ、どうしてですか」

「もしかしたら、利益が増えるかもしれないじゃないの。それに……」

「萌実くん。監査のルールだけはきちんと守ってくれたまえよ」

山上さんがムスッとした顔でこちらを見ていた。

「もっ、もちろんよ。あはは。カッキー、じゃあいつもどおり頑張るのよ」

そうして、いつもどおりの監査が始まった。

しばらくして、僕は処理ミスらしきものを一つ見つけた。

「萌さん、ちょっと見ていただけますか？　設備のメンテナンス費用二〇〇万円の請求書を見ていたんですけど、この請求書二月十五日から三月十五日分の請求なんですよ。でも全額が今回の決算に費用として上がっているんですが、これっていいのですか」

「カッキー、ナイスよ。あんたの言うとおりよね。三月一日から三月十五日の費用分一〇〇万円は今回の決算に入れるべきではないわ。一〇〇万円じゃまだまだ少ないけど、ちょっとは赤字減らしに貢献したわね」

萌さんは嬉《うれ》しそうに言った。

「萌実くん、待ちたまえ。確かこの会社は、請求書が到達した時点で費用を認識していたのではなかったのかね。それに、月をまたいだ請求書の場合、月を分けて認識することをせず、どちらかの月に一括して認識する処理を採っていただろう。今さらそれを変更するのは、経理操作に当たると君は思わないのかね」

山上さんは落ち着いた声で、しかしたたみかけるように萌さんに指摘した。

「うっ……、このケチンボじいさん」

「萌実くん、何か私に言ったかね」

「いいえ、何も。山上さんのおっしゃるとおりでございます――」

3

四時間後。僕らの監査は順調に進んでいった。

しかし、一億円の赤字は変わらないままだった。

「萌さん、この会社ってどうして赤字体質になったのですか」

「ここっていろんな冷凍食品を作って販売しているんだけど、やっぱり中国や東南アジアの工場で作ったほうが安いのよね。いろいろ頑張ってはいるんだけどね。現金が返ってくるキャンペーンをやったり、工場跡地や運動場といった遊休地を売ったり、社宅を返したりとかして」

「あっ、萌さん。その遊休地の売却益とか社宅の返還とかはもう調べましたか」

「遊休地の売却はもう既に調べたわよ。ちゃんと売却益は全額決算に含まれていたわ。それに、社宅は借り上げていたものを返すだけなんだから、利益なんて発生しないじゃない」

「でも、例えば敷金の返金とかはないのですか」

「あっー！　そうよ、忘れていたわ。ちゃんと敷金は返してもらったのかしら。有間さんに訊《き》いてみなきゃ！」

僕はさっそく有間さんを呼んで尋ねてみた。

「そう言われれば、敷金を返してもらうのを忘れておりました。こちらもドタバタしておりましたもので、ついうっかり」

社宅やその駐車場のために出していた敷金は全部で約一億円。

その社宅や駐車場は二月二十八日までにはすべて返還していたので、一億円もの未収入金[10]が新たに決算に含まれることになった。

「萌さん、これで一発逆転！　赤字がなくなりましたね」

「そうね。本当によかった――あっ、しまった!!　私ったら何考えていたのかしら。資産に計上されている敷金が現金化されるだけなんだから、利益[11]なんて発生するわけがないじゃない!!」

「そのとおりだ、萌実くん。敷金の返金は利益に影響ないので、赤字も残ったままだな」

「……山上さん。もしかして最初から気付いていたのに、私たちに何も言わなかったの？」

「うむ。でも、まあいいではないか。会社も忘れたままであったら、いつまで経っても現金が入ってこなかったのだ」

「うっ〜、気付いていたのなら、早く言ってくれたらよかったのに……」

萌さんは小声で唸《うな》っていた。

赤字の一億円は変わらないまま、もう陽も沈もうとしていた。

「萌実くん、柿本くん。もうそろそろ帰る時間ではないか」

山上さんはもう自分のやるべき監査が終わったらしく、監査用に持ち歩いているノートパソコンでインターネットを見ていた。

「山上さん、インターネットなんかで遊ばないでくれません？　こっちはまだ見ていない科目があるの。そういえば、未払金[12]をまだ見ていなかったわ」

「それでは、未払金が済んだら帰ることにしようか」

「じゃあ、カッキー。早く未払金残高の内訳明細とか総勘定元帳とか持ってきて」

僕はさっそく有間さんの所へ行って、未払金についてのいろいろな資料を借りてきた。

未払金の残高は約二億円。その内訳は二月分の電気料金、水道料金、そして〈さくら代金〉という項目があった。

「何よ、この〈さくら代金〉っていうのは⁉」

「そうですね。一億円以上もあるんですけど、一体何なんでしょうか」

　僕もわからなかったので、有間さんに会議室まで説明に来てもらった。

「実はこの〈さくら代金〉というのは、〈千本桜で大判小判がざっくざく！　キャンペーン〉のことなんです」

「〈千本桜で大判小判がざっくざく〉って⁉」

「うちの商品に付いている我が社のマーク〈桜の木〉シールを千枚集めたら、一〇万円プレゼントするというキャッシュバック企画なんです」

「〈ここ掘れワンワン、大判小判がざっくざく、枯れ木に花を咲かせましょう〜〉っていう昔話に引っかけたのね。前に聞いていたキャンペーンってこれだったんだ。でも、冷凍食品でシール千枚集めるなんて、なかなかできないんじゃないの？」

　萌さんは質問を有馬さんに投げかけた。

「私たちも最初はそう思って、ただの目玉作りとしてこの企画を始めたのです。ところが、千枚集めたという人が次々と現れて、約千二百名つまり一億二〇〇〇万円もの出費になってしまったのです」

「それって、本当に千枚あるかどうか確かめたの？」

「ええ、こちらもきちんと調べましたが、偽造シールや数のごまかしなどは一つもありませんでした」

「一億二〇〇〇万円ねぇ。結構きつい金額ね。それで、もうその人たちには支払ったの？」

「一億二〇〇〇万円なんていう大金はうちではすぐに払えません。ですから、まだ未払金として計上したままになっているのです」

「――私はちょっと用事を思い出したので失礼する」

山上さんは突然そう言うと立ち去ってしまった。

「あれっ、山上さんは一体どうしたんでしょうか」

「そんなこと、知らないわよ。あの爺《じい》さまは本当に何を考えているのかしら。もういいわ、カッキー、最後にその〈さくら代金〉の実在性について確かめて」

「キャッシュバックキャンペーンの未払金なんて、どうやって調べるんですか」

「そういえばそうね。百万枚以上ものシールを一つ一つ調べるのも大変よね。じゃあ、もうこの辺で切り上げて帰ろうかしら。カッキー、もう片付けに入っていいわよ――」

4

「藤原先生、ちょっと待っていただけませんか」

荷物をまとめて帰ろうとしたそのとき、有間さんが僕らを呼び止めた。

「もう一度、あの〈さくら代金〉について調べていただけませんでしょうか」

「えっ、あの一億二〇〇〇万円を?」

萌さんも少し面食らったようだ。

「ええ、やはりシールを千枚も集める人が千二百名もいるとは、不思議でならないのです。お願いです、もう一度きちんと調査していただけませんか」

「そうね――」

萌さんはしばらく考えていた。

「萌さん。調べるって言ったって、方法がないですよ」

「カッキーは黙っていて。調べる方法ならほかにもあるわ。有間さん、やはり一度ちゃんと調べておきましょう。有間さんにも手伝っていただきますが、よろしいかしら――」

僕と萌さんそして有間さんの三人で、千枚集めたという千二百名について手分けして調査を始めた。性別・年齢・住所・職業について調べ、そして何人かには実際に電話もしてみた。

結果は性別・年齢・住所・職業は見事にバラバラ、しかし電話については、かけてみた一〇〇名のうち連絡が取れたのはわずか三名で、そのほかの人については留守番電話か不通、中にはデタラメな電話番号もあった。

「なるほどね。数人にしか電話がつながらないというのは、やはりおかしいわね。もしかしたら、シールを千枚集めた背景には何らかのトリックがあるかもしれないわよ」

「でも萌さん。おかしいからってこれ以上どうやって調べるのですか。一人一人について身元を捜査する権限なんて僕らにはありませんよ」

「仕方ないわね。そうだ、有間さん。吉野食品のシールってみんな同じものなの?」

「いいえ、食品の種類によって微妙に違いますが」

「そうよ、それよ。カッキー、今からシールを全部調べるわよ! もしかしたら、一億二〇〇〇万円払わなくていいかもしれない。そしたら、この会社も一気に黒字化よ!」

「えっ、でも百二十万枚ですよ!?」

「やるったら、やるの。とにかく提出されたシールを、種類別に選別して分けて欲しいの。ねっ、みんなで手分けして頑張ろうよ!」

僕ら三人は提出されたシールが保管されている倉庫へ行き、一枚一枚選別を始めた。百二十万枚ものシールを、提出した個人別に一枚一枚調べてそれを種類別に分けていく。それは、本当に気が遠くなるような作業であった。

有間さんが倒れたのは、作業を始めてから一時間後のことであった。

「有間さん、大丈夫ですか!!」

「い、いや。大丈夫。ありがとう、柿本さん。私は這《は》いつくばってでも最後までやり抜くつもりですから」

「どうして、そこまで……」

「それは、どうしてもこの会社を守りたいからですよ――柿本さん、花見は好きですか」

「えっ!? 大好きですけど、それが何か」

「花見はいいですよね。私ら年寄りも、あなたのような若い人も一緒になって楽しむことができる。うちの会社も昔は二百名もの社員がいて、全社員が毎年ここの桜で花見をしたものです。大人数でワイワイガヤガヤ、それはもう楽しい花見でした」

有間さんは、懐かしそうに言った。

「今はリストラや事業縮小で社員は五十名程に減ってしまったので、あのときのような花見はもう夢の話ですが、うちにはまだ若い者たちもいます。あの子たちにも毎年、あの満開の桜の下で花見をさせてやりたいのです」

「有間さん……」

バタン！

倉庫の扉を開ける大きな音と共に、三人の男たちが入ってきたのはそんなときだった。

「有ちゃん、一体どうしたんだい。このシールの山は」

そう話しかけてきたのは、ちょうど工場の勤務を終えた有間さんの古くからの同僚の方々であった。僕は彼らにこれまでの事情を説明した。

「なるほどな。よしっ、じゃあ俺たちも手伝うぜ」

「ほ、本当ですか⁉」

「もちろんだ。もしかしたら、俺たちの会社が潰《つぶ》されなくても済むかもしれないんだろ。お願いだ、俺たちにもやらせてくれ」

そうして、六名による作業が始まった。

数分後、僕らの横を通りかかった工場のほかの人たちが倉庫のほうへと寄ってきた。彼らも事情を聞くやいなや、一緒に作業を手伝い始めた。これで、総勢十二名。

しばらくすると、有間さんやその同僚たちの部下が応援に駆けつけてきた。これで、総勢二十四名。

さらにしばらくすると、仕事を終えた本部の人や社長をはじめとする役員の人たちも作業に加わってくれた。これで、総勢四十八名。

さらにさらに先に、デートの約束があると言って先に帰った若者や夕食を作り終えたパートのおばさんたちも、どこかで噂を聞きつけて倉庫へとやって来た。これで、総勢九十六名。

ついには、帰りが遅いということで迎えに来た奥さんや子供たち、夜なのに工場に灯《あか》りがついているということで不思議がってやって来たご近所の人たちも、この倉庫に来て一緒に作業に加わった。

最終的には、総勢百九十二名でシールの選別を行うこととなった。


「ふっ〜。これで全体の四分の一が終了っていう感じかしら」

萌さんがこう呟《つぶや》いたのは、もう夜も遅い時間だった。

「それにしても、この〈下地が青で縁取りが太い〉桜の木のシールがやけに多いけど、これってそんなによく売れたわけ？」

萌さんはそのシールを手にしながら、有間さんに尋ねた。

「いいえ。恥ずかしながらこの商品〈さくらんぼ入りコロッケ〉は実に不人気でして、まったく売れなかったと聞いております。卸問屋にも返品の山ができていたと」

「えっ、売れなかった商品なの⁉　じゃあ、どうしてそんな不人気商品のシールが、ここに沢山あるのよ？」

「――萌実くん。そこまで調べれば、証拠としては十分だ。どうやら、それが巨大詐欺事件のトリックのようだな」

萌さんの問いに応《こた》えたのは、倉庫にいた百九十二名ではなく新たに登場した一人の老人だった。

「やっ、山上さん！」

「遅くなってすまなかったな。頼もしい助《すけ》っ人《と》を連れてきたぞ」

山上さんは、外に待機していた男たちを呼ぶと、すぐにトレンチコートを身にまとった七人の男たちが次々と中へ入ってきた。そして、その中のリーダー格らしき男が敬礼をして僕らにこう言った。

「本官は警視庁捜査一課、テロリスト対策特別班班長の頼光警視であります。皆様のお力により過激派テロリストの資金源を究明することができそうです。ご協力、感謝致します!」——

その声と同時にほかの男たちも一斉に敬礼をした。

あまりにも突然のことなので、僕らはポカンと口を開けるばかりであった。

5

四月上旬。

捜査の結果、百二十万枚のシールの大半は、売れ残りで卸問屋に返品されたものやスーパーの倉庫に眠っていたものであったことが判明した。

テロリスト組織が手分けして各地の店舗・倉庫へ行き、返品物や期限切れ商品といった売り物にならない商品を無料で引き取っていた。そして、最終的にはシールを百万枚も集め、キャッシュバックキャンペーンを利用して活動の資金源にしようとしていたのである。

こういったクーポン券詐欺は、アメリカでは年間一億ドルもの被害が出ており、銃や麻薬に次ぐテロリストの有力な資金源となっている。

日本でも先日の〈警視庁による過激派テロリスト一斉摘発〉の際、この手口による詐欺が行われたことが発覚したが、証拠がないために起訴できないままでいた。しかし、この多摩吉野食品にあるシールが未販売商品であることが確かめられたことにより、テロリスト組織を起訴にまで持ち込むことができたそうだ。

山上さんは、こういった詐欺事件がアメリカで起きていることをインターネットを通じて知っていたらしい。〈さくら代金〉の話を聞いてピーンときた山上さんは、あらゆるコネを使って警視庁捜査一課を動かし、あの日多摩まで連れて来たそうである。

結局、キャッシュバックキャンペーンに応募した千二百六名のうち、テロリスト組織による応募だったのは千八十三名分。多摩吉野食品は一億円以上を払わなくて済み、今年度黒字化を達成、会社の存続も決定した——。

——桜の頃、サクラ工場にはさくら吹雪が舞っていた。

僕たちは桜の下にゴザをしいて、舞い飛ぶ桜の中にたたずんでいる。もちろん、全員で二百名。

「皆様のお陰で、過激派テロリスト組織の資金源を断ち、壊滅させることができました。これもひとえに皆様のお力の賜物《たまもの》です。過激派テロリストの壊滅と多摩吉野食品の存続決定を祝して、乾杯！」

頼光警視の乾杯の音頭とともに、みんな一斉に声を上げた。

桜の木々に包まれながら、僕らの周りでは楽しいお花見が繰り広げられている。有間さんも同僚や若い人たちと一緒に盛り上がっているようだ。

「山上さん、山上さん。お酒はどうですか」

僕は山上さんにお酒を注ぎに行った。

「おっとっと。ありがとう。そういえば、柿本くん。君はずいぶん萌実くんと仲がいいみたいだな。二人は付き合っているのかね？」

「えっ、えっ……」

「そんなこと全然ないわね」

僕が戸惑ってしまったのに対し、萌さんは即答で否定した。

そんなにすぐ否定しなくてもいいのに……。ちょっと落ち込んでしまった僕は、無理矢理話題を変えることにした。

「よっ、よく考えれば、こうやってお花見ができるのも有間さんや山上さんのおかげですよね」

「そうね。二人ともお爺《じい》さんだもんね」

「なっ、何を一体言い出すんですか、萌さん！」

すると、萌さんはこっちを向いて笑顔を見せると、そのまま満開の桜を見上げてこう言った。

「――昔からね、桜の花はお爺さんが咲かすものと決まっているのよ」

[8] 代表社員とは監査法人における上位の役職である。監査法人を経営する立場の人であり、一般企業における〈取締役〉に似ている。ちなみに、監査法人で働く一般の会計士は〈社員〉ではなく〈職員〉と呼ばれている。

[9] アサインとは〈仕事を入れる〉という意味である。監査法人の場合、いつ・どこで仕事をするのかが毎回変わるため、〈いつアサインされるのか〉〈どこにアサインされるのか〉が職員の最大の関心事となっている。

[10] 未収入金とは、まだ現金としては入ってきていない収入のこと。

[11] 利益は性質的に、新たに経済的価値が発生した場合に認識する。しかし敷金の場合、貸主に預けていたものが返って来ただけに過ぎないので、新たな価値が生まれたわけではなく利益は当然発生しない。

〈敷金の支払い時〉　(借方) 敷金　(貸方) 現金預金

〈敷金の返還時〉　(借方) 現金預金　(貸方) 敷金

[12] 未払金とは、既に費用として発生していて、支払額・支払日も確定しているが、

期日が未到来のためまだ支払っていないお金のこと。二月決算の企業でいうと、二月分の電気料金はすでに費用にはなっているが、支払日が三月末日であれば、二月末時点では〈未払金〉として扱われる。

# 監査ファイル4

# 〈かぐや姫を追いかけて〉事件
## ——固定資産の話——

1

九月十四夜（待宵月）。

「——カッキーは、一体何を読んでいるの？」

横の座席にいる萌さんが尋ねてきた。

「僕ですか？　いつも読んでいる会計雑誌ですけど。今回はエンロン事件の特集なんで、結構面白いですよ」

「そんなカタイ本を読んでいるんだ。偉いわねー」

「そういう萌さんこそ、何を読んでいるんですか」

「私が今読んでいるのは『かぐや姫』よ」

「……は？」

「えー。カッキーって『かぐや姫』知らないの。お爺さんが光る竹をパカーンって割ったら、竹の中からかわいい女の子がオギャーと生まれて」

「それくらい知っていますよ。だから、どうしてそんなおとぎ話を読んでいるんですか」

「じゃあ、カッキーも読んでみる？」

萌さんは僕に持っている本を手渡した。

「〈いまはむかし、竹取の翁《おきな》といふものありけり。野山にまじりて竹をとりつつ、よろづのことにつかひけり――〉って、これ古文で書かれているじゃないですか。萌さん、こんなの読めるんですか」

「もちろん読めるわよ。これでも私、事務所の〈古典同好会〉に入っていたもん」

「そんな変なサークルなんて、初めて聞きましたよ」

萌さんと僕は出張のため新幹線に乗って移動中である。

行き先は富士山の麓《ふもと》にある〈株式会社小野家具店〉。家具やテーブル・デスク・椅子・寝具等の製造・修理・販売を行っている老舗《しにせ》企業である。

この会社は今年から萌さんが主査として担当することとなり、僕はスタッフとしてついて行くことになったのである。

2

僕らは新幹線を降りバスに乗り、小野家具店の本社工場へとやって来た。本社の前まで行くと、入口には若い男性が立っていた。そして、その男性は僕らに向かって手を振った。

「久しぶりだね、萌ちゃん。こんなに遠い所まで来るのは大変だっただろう、お疲れさま」

「久しぶりー。わざわざ出迎えまでしてくれてありがとう、深草くん！」

二人はニコニコしながら再会を喜んでいる。

「萌さん、確かこの会社に来るのは初めてって言っていませんでした？　それなのに、知り合いの方がいらっしゃるんですか」

「そっかー。カッキーは入れ違いに入所したから、私と同期の深草くんのことは知らないのね」

「深草さんの話でしたら、僕も聞いたことあります。事務所を突然辞めてどこかの会社のCFOになった方ですよね。若くしてCFOなんてスゴイですね」

CFO（chief financial officer：最高財務責任者）とは、会社における財務関係の最高責任者のことである。

「CFOって言っても、部下は二人だけであとはパートのおばさんだよ」

深草さんは苦笑いをしながら言った。

「それにしても、意外よね。こんなのどかな町の会社に再就職していたなんて。それも老舗の家具屋でしょう。深草くんなら独立してもやっていけるし、金融だろうがハイテクベンチャーだろうが引く手あまたなのに……」

「こういう会社もいいもんだよ、萌ちゃん。空気もいいし、みんなもせかせかしていないし、それに――」

次を言おうとしたとき、深草さんは会社の建物のほうから一人の女性がやって来たことに気付いた。

「こちらです。監査に来られたのはこの方たちですよ、姫！」

「姫!?」

〈姫〉と呼ばれた女性はこちらまで近づいてくると、にこやかに微笑みながら挨拶《あいさつ》をした。

「初めまして。こんなに遠い所までようこそいらっしゃいました。わたくし、社長の小野小夜《さよ》と申します」

そう深々と頭を下げた女性は、長い黒髪にもかかわらず、日本人には見えないほど目鼻立ちのくっきりした顔立ちのエキゾチックな女性だった。

「CFO、それではあとはよろしくお願い致しますね」

小夜社長はそう深草さんに託すと、気品のある立ち振る舞いでそよ風のように立ち去っていった。

「ねえ、深草くん。この会社って社長のことを〈姫〉って呼ぶの?」

「ああ、彼女が社長になる前からみんな彼女のことを〈姫〉って呼んでいるぞ」

「……」

萌さんも僕もどう返答していいのやらわからなかった。

「萌さん。さすがに〈姫〉はやり過ぎですよね」

僕は小声で萌さんに同意を求めた。

「えっ、そうかしら。私も〈姫〉って呼ばれたいなー」

「萌さん、そっちですか……」

ていた。

提供された応接室で僕が監査を始めようとしている中、萌さんは嬉《うれ》しそうに鼻歌を歌っていた。

「ふふっーん。なるほどねー。そーゆーことだったのねー」

「萌さん、何を嬉しそうにしているんですか」

「いま初めて謎が解けたのよ」

「一体、何の謎が解けたんです？」

「深草くんは昔から独立心が強かったんだけど、どうして地方の会社に就職したのか事務所の仲間の間でもずっと謎だったの。でも今日はその謎が解けたんだから、嬉しくないわけがないじゃない」

萌さんは本当に嬉しそうにニコニコしていた。

「それで、その謎の答えは何なんですか」

「恋よ、恋。フォーリン・ラブよ。深草くんは小夜さんに恋したのよ」

「……本当ですか」

「間違いないわ。深草くんの小夜さんを見つめる瞳《ひとみ》を見た？　私、あんなに優しい瞳をした深草くんなんて初めて見たわ。深草くんは小夜さんに一目惚《ひとめぼ》れして、この会社に転職したのよ」

「萌さん。もしかして、また余計なこと考えていませんか」

「別に余計なことは考えていないわ。ただ深草くんと小夜さんをくっつけるために何かしてあげたいなぁ、と思っただけよ」

「だから、それが余計なことなんです」

3

小野家具店は江戸末期から続く老舗の家具屋だった。一地方の家具屋を大きくしたのは先代の社長小野麻造で、家具の大量生産によりコストダウンを図る一方、オーダーメイド家具の受注にも力を入れ、直営の専門店を首都圏各地に積極的に進出させた。しかし近年のデフレ不況と大型店の進出による競争激化のために経営が悪化。社長はその立て直しを図ろうとした矢先に突然体調をくずしてしまい、社長業が務まらなくなってしまった。

そこで緊急事態への対応として、早世した一人娘の忘れ形見である孫娘の小夜さんが社長に就くこととなったのである。最初は誰もが心配したのだが、逆に彼女を守り立てようと社内が一致団結し、彼女自身もそのセンスの良さからヨーロッパ直輸入家具の販売を始め、好評を博している。

その結果、小野家具店は新たな設備投資をしていないにもかかわらず、売上高や純利益は落ちずに推移していた。

出張一日目の夜。僕らは会社の方々と夕食を食べに行くこととなった。ちょうど萌さんと僕のテーブルには小夜社長と深草さんが座った。

食事も半ばを過ぎたあたりで、萌さんはおもむろに話を切り出した。

「それで、小夜さんって恋人とかいるの？」

「萌さん、何を突然言いだすんですか。小夜社長に失礼ですよ」

「うふふ。別にいいですわ、柿本さん。わたくし、今付き合ってる人はいませんわ」

すると、萌さんは深草さんに目で合図を送った。

（深草くんやったじゃない。チャンスよ、チャンス）

（なんだよ、萌ちゃん。俺がどうかしたか？）

深草さんは目をパチクリさせている。

「でも、今はほかにやりたいことがありますので、なかなか恋のほうには目を向けられませんわね」

小夜社長はそう言葉を続けた。再び萌さんは深草さんに目で合図を送った。

（深草くん、めげちゃダメよ。私がこれからアシストをしていくから）

（だから、一体何なんだよ……）

それから萌さんは、深草さんに関する話をし始めた。

深草さんが同期の間で最も頼りにされていたこと、後輩の面倒見もいいこと、ゴルフが上手なこと、カラオケがうまいこと、実は家がお金持ちであること、などなど話題はさまざまだった。

「うふふ。CFOっていろいろな面がおありでしたのね」

小夜社長は萌さんのする話に嬉しそうだった。

「それだけじゃないのよ、小夜さん。深草くんは古文も読めるのよ」

「古文？」

「私たち、古典が趣味の代表社員に誘われて〈古典同好会〉に入っていたの」

「面白い同好会があるのですね。そう言われればCFOが古い言葉に詳しい、と思ったときがありましたわ」

「へえ、普通に仕事していても古い言葉なんて出てこないわよね。一体、どんな時に出てきたの？」

「確か取引先に〈蓬萊《ほうらい》〉とか〈火鼠《ひねずみ》〉〈子安貝〉という名前の会社がありましたの。そのとき、〈蓬萊〉とは仙人が住む伝説上の土地で、〈火鼠〉は火の中で生きる鼠、〈子安貝〉はええっと……」

「姫、〈子安貝〉は大きな巻貝で昔から安産のお守りとされているものですよ」

深草さんが答えた。

「そうそう、そうでしたわ。ほんと、CFOは古い言葉に詳しいのですね。私は子供の頃イタリアに住んでいたせいか、難しい日本語はどうも苦手で……」

「イタリアに住んでいたのですか。すごいですね、羨《うらや》ましいですよ。そういえば、小夜社長のお顔立ちもイタリア人っぽいですよね」

僕は冗談のつもりで言ったのだが、小夜社長は驚いたような顔をした。

「よくわかりましたわね。私の父はイタリア人なのです。母が父と駆け落ちしてイタリアで暮らしていたのですが、母と私は日本に連れ戻されてしまって……」

「すいません、嫌なことを思い出させてしまって」

「いえ、全然構いませんのよ。お気になさらないでください」

こうして僕の失敗もあったりしたが、夕食会は終わった。しかし、萌さんだけはどうも腑《ふ》に落ちない表情をしていたのが僕は気になっていた。

4

九月十五夜（仲秋の名月）。

「カッキー、あんたが担当した科目、売上や売掛金・固定資産・販管費で〈蓬萊〉とか〈火鼠〉〈子安貝〉といった取引先を見なかった？」

翌日、監査が始まると同時に萌さんが訊《き》いてきた。

「いえ、取引先の名前まではちゃんと見ていなかったんで……」

「仕方がないわねぇ。じゃあもう一度見てみて。もしかしたら〈仏鉢〉や〈龍玉〉というのもあるかもしれないから気を付けて見るのよ」

「〈仏鉢〉や〈龍玉〉って何ですか」

「それはあとで説明するから、さっさと調べ始めなさい」

――それから、しばらくあと。

「萌さんが言っていた取引先ありましたよ。〈蓬萊〉とか〈火鼠〉〈子安貝〉だけでなく〈仏鉢〉や〈龍玉〉も」

「なるほど、やっぱりね。それで、どの勘定科目にあったの？」

「売上と固定資産です。売掛金や販管費では見当たらなかったですねぇ」

「――カッキー、それっておかしいとは思わない？」

「えっ、どこがですか。期比較とかでも過去三年間、どの科目もたいした変動はありませんでしたよ」

「ちょっとよく考えてみなさい。設備投資とかは最近何もしていない、って昨日深草くんから聞いたでしょう。それなのに固定資産に変動がないっておかしくない？　本当に設備投資を何もしていないなら、減価償却[13]の分だけ固定資産勘定は減少するはずでしょう」

「それもそうですね」

「それに〈蓬萊〉とかは売上勘定には出てくるけど売掛金勘定には出てこないんでしょう。それは現金回収しているからだと思うけど、蓬萊とか五社全部が現金回収というのも都合よすぎない？」

「確かに。それにしても〈蓬萊〉〈火鼠〉〈子安貝〉は昨日小夜社長がおっしゃっていましたけど、〈仏鉢〉〈龍玉〉はどうして萌さんが知っていたんですか。もともと知っている会社なんですか」

「その五つとも私のまったく知らない会社よ。初めて聞いたわ。ただ、〈仏鉢〉と〈龍玉〉

は予想したら当たったというだけのことよ」

「どうして会社名なんて予想できるんですか、おかしいですよ」

「〈蓬萊〉〈火鼠〉〈子安貝〉と来たら〈仏鉢〉〈龍玉〉が出てくるのは当たり前よ。カッキー、『かぐや姫』の話は全然知らないのね」

「『かぐや姫』？」

「そうよ。美しく成長したかぐや姫には多くの男たちが求婚したけど、かぐや姫はすべて断るの。それでもしつこく求婚し続ける五人の男たちに、彼女は〈私が欲しい物を持ってきたら結婚しましょう〉とそれぞれに一つずつ五つの物を持ってくるように言うの。それが〈仏の御石の鉢〉〈蓬萊の玉の枝〉〈火鼠の皮衣〉〈龍の頸《くび》の玉〉〈燕《つばめ》の子安貝〉というわけ」

「それでどうなったのですか」

「〈仏の御石の鉢〉も〈蓬萊の玉の枝〉も全部伝説上の物よ。男たちは結局誰もちゃんと持って来られずに求婚は失敗に終わったの」

「――ということは、この五社は一つのグループだと？」

「五社がセットということは想定できるわね。でもこの五社の存在にはもっと重要な問題があるの」

「どういうことですか」

「カッキー、昨日エンロン事件の雑誌読んでいたでしょう。あれを見て何か気付いたことなかった？」

「いや、いろいろ気付きましたよ。監査人の精神的独立性の問題とか、コンサルタント業務との兼ね合いの問題とか」

「今はそんなこと訊いていないわよ。エンロンが作った会社名について、何か気が付いたことはなかったの？」

エンロンは会計操作のために数多くの会社を作っていたが、僕はその会社名までは見ていなかった。

「会社名に〈ジェダイ〉とか〈チューコ〉とかあったでしょう。〈ジェダイ〉は正義の騎士の呼び名だし、〈チューコ〉は猿人のチューバッカのことよ」

「もしかして、それって『スター・ウォーズ』の話ですか⁉」

「そのとおり。エンロンの人たちは何を思ったか、『スター・ウォーズ』とか妻や子供の名前から会社名を付けているのよ。多分そこには何かしらの愛着や思い入れがあったからなのでしょうけどね」

「ちょ、ちょっと待ってください。萌さんは何を言おうとしているのですか。もしかして」

「そう。〈蓬莱〉〈火鼠〉〈子安貝〉〈仏鉢〉〈龍玉〉は、〈小野家具店〉の人たちが作った会社かもしれないということよ――」

## 5

「萌さん、今調べてきたんですけど、注文書や請求書にあった住所は五社ともデタラメのようです」

応接室に息を切らして帰ってきた僕は、萌さんにさっそく報告した。

「やはり、ペーパーカンパニーのようね」

萌さんは納得の表情だった。

「萌さんのほうはどうでした」

「カラクリはこんな感じよ。ちょっとこっちに来て」

萌さんは監査調書用紙に仕訳を書き始めた[14]。

「これが、この会社が行っていた仕訳よ。帳簿上、小野家具店が家具を売って、それをまた購入して資産計上する。こうすれば実際の商品や現金は一切動かさずに、売上高の水増しが簡単にできるわ。ここの商品は家具とかだから、建物附属設備勘定や工具器具備品勘定[15]に混ざっていても一見しただけでは気がつかない、って考えたのでしょうね」

「わざわざ通過勘定に〈現金〉を使っているのはどうしてなんですか。売上の水増しが目的なら、通常どおり〈売掛金〉を計上すればいいじゃないですか」

「ばかねぇ。〈売掛金〉を残したまま期末になったら、私たち監査人が得意先に残確[16]を発送しちゃうじゃない。そうしたらペーパーカンパニーだっていうことがすぐばれるでしょう」

残確とは〈残高確認書〉の略で、得意先に対して売掛金などの残高を確かめるために監査人が発送する書状のことである。

「ということは、監査の目から逃れるために、わざと〈売掛金〉を使わなかったんですね。……ちょっと待ってください、じゃあ監査に詳しい人が犯人ですか!?」

「まあ、監査についてそれなりに知っている人なら、これくらいの気は遣うでしょうね。それより、五社のうちにこの住所はなかった?」

萌さんは自分の手帳のあるページを開いて見せた。

「富士倉市満月町ですか。ありましたよ、確か〈火鼠〉の住所がそこです。でもそこは住宅地で会社があるとは思えなかったのですが」

「それはそうよ。だってこれ、深草くんの今の住所なんだもん」

萌さんは応接室に深草さんを呼び、僕らが調べたことについて語った。

「萌ちゃんたちが調べたとおりだよ。〈蓬萊〉や〈火鼠〉などは売上水増しのために作ったペーパーカンパニーさ」

深草さんは観念したのか、素直に会計操作を認めた。

「さすがは萌ちゃんだな。意外と見つからないと思っていたのに」

「ねぇ、深草くん。この売上水増しって、あなたが一人でやっていたんでしょう」

「ああ、そうさ。俺が一人でやった。売掛金や買掛金は部下たちが管理していたから、一部のパートの人しか見ていない現金預金や固定資産を使って会計操作をしたんだ。だから、悪いのは全部俺だ」

「動機は？」

「俺がCFOに就任したあとに、売上高や利益が落ちたら俺の名に傷が付くだろう。だから、会計操作をした。ただ、それだけさ」

そのとき、〈ガチャリ〉と応接室のドアが開いた。

「小夜さん？」

「姫⁉」

中に入ってきたのは小夜社長だった。

「すいません。立ち聞きする気はなかったのですが……藤原さん、この件はわたくしが辞任することで責任を取ります。ですので、ＣＦＯを許してはいただけませんでしょうか」

「えっ⁉」

萌さんと深草さんは同時に声を上げた。

「悪いのはすべてこの俺です。姫は何も知らなかったじゃありませんか」

「社長はすべての責任を負う存在だとわたくしは思っています。それにわたくし、実は前から社長を辞めようと思っていました」

「どういうことですか、姫！」

「わたくしはやはり社長には向いていない、そうずっと感じていたのです。それに、会計操作がなかったら売上高は落ちていたのでしょう。それが、私の本当の実力なのです」

「姫……」

「それとわたくし、どうしてもやりたいことができたの。家具の直輸入をしているうちに、もっと家具について知りたくなったのです。だから、インテリアの勉強のためにイタリアに行きたいの」

「イタリアは姫のお父さんがいる国では……」

「ええ。祖父や祖母は、母を奪った国に私が行くことを悲しんでいますけど、もう決心致しました――藤原さん、一つ訊いてよろしいですか」

「いいわよ」

「ＣＦＯは何か罪に問われるのでしょうか」

「まだ操作した数字を公表したわけじゃないから、修正に応じてくれたら何も言うつもりはないわ」

「よかった……では、ＣＦＯ。これからわたくしの言うことを聞いてください」

小夜社長は改めて深草さんのほうに向き直った。

「私が辞めたあと、あなたが社長に就いていただけませんか。うちの会社は職人気質《かたぎ》の人が多いせいか、経営全体を見渡せる人材はあなた以外にはいません。お願いできませんでしょうか」

「……」

小夜社長の頼みに、深草さんは無言のままだった。

6

二日目の監査終了後、僕らは東京への帰途についた。

「萌さん、深草さんって事務所にいたときから独立したがっていたんですよね。それなのに、どうして社長就任を断ったんでしょうか」

「カッキー、あんた本当に何もわかっていないわね」

「どういうことですか」

「そもそも、深草くんが会計操作をしたのは小夜さんのためなのよ」

「でも、深草さんが言うには自分の名に傷が付くからって」

「そんなの口からデマカセよ。だいたい、深草くんが会計操作に使ったペーパーカンパニーの名前を思い出してみなさいよ」

「〈蓬萊〉に〈火鼠〉、〈子安貝〉〈仏鉢〉〈龍玉〉でしたっけ」

「私が言っているのは名前の意味よ」

「それらは、〈かぐや姫が欲しいと望んだ五つの物〉で——あっ、もしかして〈かぐや姫のために作った贈り物〉というのが名前の意味ですか」

「そう。人間の性《さが》か、たとえペーパーカンパニーとはいえ無意味に名前は付けられない。そこには深草くんの想いが込められていたんじゃないの」

「なるほど。小夜社長の就任後に業績が落ちたら社長が全責任を負わされてしまうので、深草さんはそれを防ぎたかったというわけですか」

「それにしても気になるのは深草くんの今後よね。『かぐや姫』の最後みたいにならなければいいんだけど」

「『かぐや姫』の最後って、かぐや姫が十五夜の夜におじいさんやおばあさんの制止を振り切って月に帰っちゃうんですよね」

「そうね。もっと詳しく話すと、その直前にかぐや姫は最後に求愛してきた帝《みかど》に別れの品として不死の薬を贈るの。しかし、帝はかぐや姫が月に帰ってしまったことをひどく嘆き悲しんで〈かぐや姫がいない世界に永遠の命があったところで何の意味もない〉と言って、駿河の国にあるというこの世で最も月に近い場所で不死の薬を燃やしたの。それから、その場所は富士（＝不死）と呼ばれるようになった――」

　車窓の外を見ると、夕陽に染まった富士山が綺麗《きれい》に見えていた。

「深草くんが社長就任を断ったのは、小夜さんがいない会社にいても何の意味もないと思ったからじゃないかしらね」

「じゃあ、深草さんはこれからどうするんですか」

「私にもわからないわ。それにしても、小夜さんって本当の意味で〈かぐや姫〉よね」

「そうですよね。長い黒髪の美人ですし、気品はありますし。そういえば、おじいさんおばあさんを残して日本から旅立つところも同じですよね」

「そういうことじゃないわよ」

萌さんは僕の意見をきっぱりと否定した。

「えっ、じゃあどうして〈かぐや姫〉なんですか」

「小野家具店は家具屋さんだけに、〈か、ぐ、や、姫〉。……なーんちゃって、テヘッ」

「……萌さん。照れながら言うくらいなら、最初から言わないでください」

そんな時、突然横の通路から声がした。

「よっ。ここにいたのか、萌ちゃん、柿本くん」

「ふ、深草くん！　どうして、あなたがここにいるのよ」

「いや、東京に外資系の社長をやっていた知り合いがいるんだ。そいつに早く小野家具店の社長就任を要請したくて、早速新幹線に乗ったわけさ。あと、後任のCFOのほうも何人か目星がついているからこれから会いに行くんだ」

「じゃあ、深草くんは会社を辞めてこれからどうするのよ？」

「俺か？　俺はイタリアだろうがどこだろうが、たとえ月だろうが〈かぐや姫〉を追いかけて行くつもりさ――」

［13］減価償却とは、費用配分の原則に基づいて、有形固定資産の取得原価をその耐用期間における各事業年度に配分すること。要は、物は使用したり時間が経ったりすると価値が下がるものだけど、見た目じゃわからない。そこである一定のルールを設けて規則的に価値を下げる（＝資産を減らして費用にする）ことを〈減価償却〉という。

［14］〈小野家具店が蓬莱へ売上〉　（借方）現金　一〇〇　（貸方）売上一〇〇

〈小野家具店が蓬莱から固定資産購入〉　（借方）固定資産一〇〇　（貸方）現金一〇〇

［15］建物附属設備勘定や工具器具備品勘定は固定資産の中の一つ。固定資産には、建物・建物附属設備・工具器具備品・土地といった〈有形固定資産〉、ソフトウェアなどの〈無形固定資産〉、投資有価証券・長期貸付金などの〈投資その他の資産〉がある。

［16］残確とは残高確認書の略。残高確認書とは、銀行や得意先等に対して会社の預金や売掛金などの残高を確かめる書類のこと。回答は銀行や得意先等から監査法人に直接返送してもらうため、会社の不正等を発見しやすい。

監査ファイル5

# 〈美味しいたこ焼き〉事件
## ――売掛金の話――

1

今週、僕らは大阪に出張に来ている。

朝、今回の監査で使わせてもらっている会議室に入ると、既にもう仕事を始めているイケメンボーイがいた。

「――あっ、柿本くんか。おはよう」

「おはよう、近衛《このえ》くん。やっぱり、いつも早いね」

近衛くんは大阪を拠点とする大手通販会社、株式会社インセーの経理部員である。

僕より年下だが同じ新入社員同士なので、一年前にここに監査に来た時から結構仲がいい。

「近衛くんは、社会人になってちょうど一年が経ったけど、どう感想は？」

「感想か……また今度、時間がある時に話すわ。そういえば、うちの残確はもう届いている？」

「今日チェックするつもりだから、チェックが終わり次第渡すよ」

「そやそや。その残確なんやけど、友人の銀行員が〈残確の記入は大変だ〉とぼやいていたで」

「へえ、どうして？」

「銀行への残確には〈会社名〉しか書かれてへんやろう。〈会社名〉だけでは無数にある銀行口座から調べるのは大変らしいなぁ。〈口座番号〉でも書いてくれればすぐに検索できるのに、と愚痴っとったで」

「そうなんだ。それじゃあ、今度から残確を出す時は〈会社名〉だけでなく〈口座番号〉もちゃんと書くことにするよ」

僕はいい事を聞けてよかったと思った。しかし、

「——こら、カッキー！」

　という声とともに、後ろから頭をポカリと叩《たた》かれた。

「も、萌さん!? 何をするんですか、やって来ていきなり叩くなんて」

「……カッキーって、ほんと叩かれる姿が良く似合うわねぇ。頼りないというかなんというか。それはさておき、いい加減なことを言ったらダメよ。残確に〈口座番号〉を書かないのにはそれなりの訳があるんだから」

「どういう訳です？」

「銀行に残確を発送するのは、会社口座の実在性・正確性を確かめるという目的が主だけど、網羅性という目的もあるのよ」

「網羅性??」

「つまり、会社が持っている口座を全て調べ上げるという意味よ。もしかしたら、私たちが知らない口座もあるかもしれないじゃない。だから〈口座番号〉をあえて書かずに送って、銀行にある全ての口座を洗い出してもらうのよ」

　萌さんはそう言うと、会議室から出て行こうとした。

「えっ、萌さん。来たと思ったらもう帰るのですか？」

「帰るんじゃないわよ。今日はシステムのチェックをしたいから、豊中にあるこの会社のシステムセンターに行ってくるの。夕方にはまた戻るから、残りのお仕事はよろしくね」

「えっ。それじゃ、今日は僕一人ですか」

「確かに一人にするのは心配だけどね。帰りがけに〈タコ太郎のたこ焼き〉を買ってきてあげるから、今日はしっかり頑張るのよ」

「僕はモノで釣られなければ頑張れないほど、頼りない男なんですか……」

「もう、いちいち落ち込まないでよ。〈タコ太郎のたこ焼き〉って日本一美味《おい》しいんだから、頑張ってよね」

「へえ、〈タコ太郎のたこ焼き〉ってそんなに美味しいんですか？」

近衛くんが興味深げに萌さんに訊《き》いた。

「えっー！　近衛っちって、〈タコ太郎のたこ焼き〉知らないの!?　だって、このビルのすぐ裏にあるのよ」

「えっ、初めて聞いたんですけど」

「……近衛っち。一年間通っていて気付かないって、やっぱりあなた働き過ぎよ。もうちょっと休んだら？」

萌さんも言うように、近衛くんは新入社員なのに、誰よりも早く会社に来て夜も最後まで残って仕事をする働き者だ。

「じゃあ、近衛っちにも〈タコ太郎のたこ焼き〉を買ってきてあげるから、頑張ってね」

2

「こ、近衛くん！　ちょっとこれを見て！」

萌さんが出て行って一時間後。僕は残確のチェック中に、大変なものを発見してしまった。

「柿本くん、どないした。残確に何かあったんか？」

「実は二条銀行に出した残確なんだけど、インセーが持っている二条銀行の口座って確か一つだけのはずだよね」

「二条銀行なら、確か定期預金口座が一つあるだけのはずやけど……」

「そ、それが、二つもあるんだよ。定期預金口座のほかに、普通預金口座が！」

「ホンマか？　普通預金口座は数年前に閉鎖したから、残高はゼロのはずなんやけど」

「でも、定期預金口座一〇〇〇万円の他に〈普通預金口座〉にも約一〇〇〇万円っていう返事が返って来ているんだよ！」

〈普通預金口座〉に約一〇〇〇万円――これは思わぬ簿外預金の発見である。

「これは一体……」

近衛くんも驚いているようだ。

「えっ、えっと。どっ、どうしよう、近衛くん～」

萌さんがいない今、どうしていいか僕には分からなかった。

「それじゃ、まず二条銀行の人に連絡して、この口座がホンマにインセーの名義かどうかを確かめてくるわ。もし本当にインセーの口座やったら、この預金口座の出入金の動きが分かる資料を至急FAXで送ってもらってくるから。安心しいや、柿本くん」

近衛くんは優しい笑顔でそう言った。


――数分後。


「なになに、それは本当かい？　二条銀行に一〇〇〇万円ねぇ。一体なんだろうなぁ」

まるで他人事《ひとごと》のような口ぶりで会議室に入ってきたのは、経理部の鳥羽《とば》係長である。

「一体、どうしてこんなことが起こったのよ。鳥羽君、近衛君、あなた達ちゃんとチェックしていたの！」

おばちゃん口調で入ってきたおじさんは、経理部の堀河《ほりかわ》課長である。

「あの～、堀河さんも鳥羽さんも心当たりというのはありませんでしょうか？」

とりあえず二人に質問してみた。

「心当たりなんて何もないなぁ。その口座を閉じたのは、もう五年も前の話やからなぁ」

鳥羽係長はそう言って、のんきにタバコを吸っていた。

「銀行預金の担当者は近衛君だったんでしょ。近衛君、本当に何も知らないの！　もし、このまま原因が判らなかったら、私まで白河《しらかわ》部長に怒られるじゃない！」

堀河課長はヒステリックに声を張り上げていた。

会議室の外から怒声が聞こえてきたのは、そんな時だった。

「近衛！　テメエ、なにしやがったんや。こっちへすぐ来んかい！」

大きな野太い声がこの部屋中に響き渡った。

「ははは。白河部長がさっそく俺を呼んでいるみたいやなぁ」

「こっ、近衛くん。白河さんはかなり怒っているみたいだけど、大丈夫なの？」

「ああ、もう慣れたんで大丈夫やで。これも仕事のうちやからな」

近衛くんはそう言って軽く笑うと、白河部長の許《もと》へと行った。

3

この事件の謎は三つ。

一つ目は、この一〇〇〇万円の普通預金は本当にインセーのものか。

二つ目は、だとしたらそのお金の出所はどこか。

そして三つ目は、一体誰がこのようなことを仕組んだのかである。

「柿本くん、二条銀行からFAXが届いたで」

僕が会議室で悩んでいると、近衛くんが送られてきたばかりの〈普通預金入出金記録〉を持ってきてくれた。

それを見ると、株式会社インセーの普通預金口座残高は確かに〈10,486,553円〉になっていた。

「近衛くん、これは本当にインセーの口座みたいだね……」

入金の推移を見てみると、去年までは〇円だった残高が、今年に入ってから毎月三〇〇万円ほどの入金が発生している。

一方、出金は全く無いため、今年の三月末現在で残高が一〇〇〇万円を超える金額になっているのだ。

「——近衛くん、この入金って一体なんだと思う？」

「そうやね、おそらく一番可能性が高いのはお客様からの入金やろうな」

株式会社インセーは全国規模のカタログ販売の会社なので、ここでいうお客様とは全国各地の個人客ということになる。

「近衛くん。通販の支払方法って、銀行振込もあるの？」

「それなりにあるで。コンビニ入金やカード決済という方法が大抵やけど、銀行振込も根強いなぁ」

「それじゃ、お客さんが勘違いして二条銀行に振り込んだ、とは考えられないのかな。あっ、でも違う口座に振り込まれたら、顧客管理部の方が『入金がマダですよ』という通知をお客さんに出すよね」

「いや。実はうちの会社は四ヶ月以上の滞納しかチェックしていないから、督促状はまだ出ていないはずやで。多分、顧客管理部は今月辺りから未入金に気付き始めるんやないかな。しかし、支払方法を書いた紙を商品と一緒に発送しているから、勘違いで二条銀行に入金したとは考えにくいな。……やはり、考えられるのは一つ」

近衛くんは人差し指を立てて言った。

「――誰かが嘘の入金方法を教えたとしか考えられへんな」

「嘘の入金方法を教える⁉」

「嘘の入金方法を教えて、お客様のお金を着服しようとしたんやないか」

一〇〇〇万円の着服――これは会社としても大問題であり、そもそも立派な大犯罪である。僕の背筋に冷たいものが走った。

「ど、どうしよう、近衛くん。もしかして、これは大事件なんじゃゃ……」

「そうかもしれへんな。まずは、お客様がどうして二条銀行に入金したのかを究明せえへんか。とりあえず、俺が顧客管理部に連絡してくるから」

慌てる僕に引き換え、近衛くんは見事に落ち着いたものだった。

これでも本当に同じ新入社員なのだろうか、と自分でも思ってしまった……。

4

顧客管理部から連絡が入った。

顧客管理部が今月初めに滞納が四ヶ月を超えたお客さんに電話で問い合わせたところ、お客さんからこんなことを言われたそうだ。

『商品が届いた数日後に、〈二条銀行でも入金できますよ〉という手紙がインセーさんから来ましたよ――』

数十分後、その手紙がＦＡＸで僕の手元にも届けられた。

「――なるほど、この手紙を見たら誰でも、二条銀行でも入金できると思うよね」

僕はひと通り手紙に目を通すと、それを近衛くんにも手渡した。

「……柿本くん。これはどうやら経理部から発送された手紙のようやで」

「本当!? どうして、そんなことが分かるの?」

「この左上の隅を見て。〈ihk200401202353〉っていう記号があるやろう。実はこの〈ihk〉という記号は〈インセー・本社・経理〉の意味で、経理部のパソコンから打ち出された時にしか印字されない記号なんや」

近衛くんが指差してくれた所をみると、確かに手紙の左上隅に〈ihk〉の記号がある。

「ということは、二条銀行でも入金できるとデマを流したのは経理部の中の誰か、ということなの……!?」

僕と近衛くんは顔を見合わせた。


「近衛くん、二条銀行と一番付き合いがある人って誰?」

会議室は僕ら二人だけだが、声をひそめて尋ねた。

「銀行担当は俺やけど、二条銀行とはほとんど関わった事がないなぁ。あるとしたら、前の銀行担当だった鳥羽係長なら付き合いは普通にあったやろうな」

鳥羽係長――他人事のような口ぶりで会議室に来た人である。

「じゃあ、お客さんに一番接点がある人っていうのは誰？」

「お客様に近いというなら、堀河課長やな。売掛金[17]の管理を担当しているから」

堀河課長――あのおばちゃん口調のヒステリックな人である。

僕が考え込んでいると、近衛くんが訊いてきた。

「柿本くん、ちょっとええか？　今回の事件のポイントは、会社の預金口座からお金を着服しようとしていたことや。わかるやろ」

「うん。たしかに、そうだね」

「でもな、預金を引き出す際には銀行印が必要なんや。そして、その銀行印は管理者を除いては勝手に持ち出すことはできへんのや」

「管理者を除いては？」

「そうや。銀行印の管理をしている白河部長を除いてはな……」

## 5

お客さんを騙《だま》して入金させた一〇〇〇万円、これを引き出すことができなければ、結局このカラクリを仕組んだ意味もない。つまり、怪しいのは自由に引き出すことができる唯一の人物――白河部長を僕は直接問い詰めることにした。

萌さんが帰ってくる前に解決したら、萌さんも少しは僕のことを頼もしく感じてくれるかな、とも思ったのだ。

「――それで、預金を自由に引き出せるワシが犯人や、と君は言いたいんやな」

これまでの経緯を一通り聞いた白河部長は、顔を真っ赤にしていた。

「いっ、いえ。そこまでは申し上げていませんが……」

「おとなしく聞いとりゃ、勝手なことをほざきやがって！　人を侮辱するにも程があるで！　われぇ、なめとんやないでぇ!!」

僕を怒鳴りつける声がオフィス中に響き渡った。

「はよ、出て行け！　今なら見逃してやるさかい、はよここから出て行かんかい！　そして、フゴ!?　フゴフゴフゴ……!?」

突然、白河部長の口が塞《ふさ》がれた。

「白河さん、お味はどう？　やっぱり美味《おい》しいでしょう。なんてったって、日本一美味しい本場の〈タコ太郎のたこ焼き〉だもんね」

そこには、白河部長の口に強引にたこ焼きを入れている萌さんの姿があった。

「も、萌さん！　助かりましたよ。実は、フゴ⁉　フゴフゴ……⁉」

「カッキー。あんたもちょっとこのたこ焼きでも食べてなさい。詳しい話は後でちゃんと聞いてあげるから――」


会議室へと戻ると、僕はこれまでの経緯を萌さんに説明した。

「なるほどね～。それで、カッキーは白河部長が何か関わっているんじゃないか、と睨《にら》んだわけね～」

萌さんは、お客さんに発送されたという例の手紙を手に取った。

「カッキー、あんたは重大な勘違いをしているわよ」

「えっ⁉」

「どうして、預金を自由に引き出せる人物が犯人だと思ったの？　実際、これまで一回も出金なんてされていないじゃない」

「でも、お金を引き出せなければ、不正をした意味が無いじゃないですか」

「〈不正をした意味が無い〉ねぇ。じゃあ、もし犯人がお金を得ることを目的としていなかったら？」

「お金を得ることが目的じゃない？　じゃあ、一体何が目的だと言うんですか！」

「こうは考えられないかしら。〈不正をした〉という事実自体が目的だった、とは——」

6

しばらく後、会議室に近衛くん、鳥羽係長、堀河課長、白河部長が集められた。

そして、彼らを前にして萌さんは落ち着いた口調で語り出した。

「——さて、この二条銀行の普通預金一〇〇〇万円については、数多くの謎がありました。出金して残高をゼロにしていれば監査でも発見されなかったかもしれないのに、なぜ出金が一度も無かったのか。また、滞納が長引けば顧客管理部が調査に乗り出すということを承知の上で、なぜ預金をそのままにしていたのか。そして、最大の謎はなぜ手紙に〈ihk200401202353〉という印字を残したままお客さんに発送したのか、という点です」

「萌さん、印字については犯人がうっかりしていたからじゃないんですか？」

「うっかりしているのはカッキーの方よ。そもそも不正工作のための手紙を、わざわざ会社のプリンターで打ち出すということが不自然極まりないのよ」

「じゃあ、何のために会社のプリンターを使ったんですか？」

「考えられるのは一つだけね。それは、この不正工作が経理部内の犯行であることを匂《にお》わせる必要があったのよ」

　経理部のみんなの顔に驚きの色が走った。

　萌さんは続けて言った。

「さっき、システムセンターに行ってきたから知っているんだけど、この会社のシステムでは、その部署のパソコンを使わないとその部署のプリンターにつながらないようになっているの」

「経理部以外のパソコンからは経理部のプリンターを使えない、ということですね」

「さらに、経理部のパソコンを使うにはその経理部員個人のパスワードが必要だから、犯人は経理部の人に限られるわね」

「じゃあ、経理部員一人ひとりのパソコンデータを調べれば、犯人を特定できるわけですね」

「それは無理よ。文書データなんてとっくの昔に削除してしまっているはずよ。そんなことよりも問題なのは、経理部内にいる犯人がなぜ経理部内の犯行であることを匂わせる必要があったかということなのよ」

「……そう言われれば変ですよね。犯人が自ら居場所を教えているようなものですから」

「そこで導き出される答えはただ一つ。犯人は原因不明のまま経理部全体の責任にしようと企《たくら》んだのよ」

「——ワ、ワシたちを陥れようとした奴がいるのか！　ふざけんな、ワシがどつきまわしたる!!」

白河さんは立ち上がって怒鳴った。

「白河さん、声を荒らげるのは止めてくれない。ちゃんと犯人は特定できるから」

「えっ、萌さん。犯人は特定できないんじゃ……」

「そんなことないわよ。だいたい、〈ihk200401202353〉という印字を見て、あんたは何も気付かないの？」

「いや、分かりますよ。〈ihk〉だから経理部なんですよね」

「私が言っているのは、その後の数字の方よ」

「〈200401202353〉ですか？」

「まだ分かってないの？　ちょっと区切って見てみなさいよ〈2004〉〈01〉〈20〉〈23〉〈53〉って」

「……はあ？」

「〈2004〉〈01〉〈20〉〈23〉〈53〉だってば」

「もしかして〈2004〉年〈01〉月〈20〉日〈23〉時〈53〉分ですか⁉」

「そう。そして、こんな遅い時間まで経理部に残っていた人物が犯人よ。さっき、新たに別のお客さんに届いた手紙を顧客管理部からもらったけど、そこにもちゃんと〈ihk200401160013〉〈ihk200402100713〉というプリンターの印字があったわ。どうやら犯人は経理部に誰もいない時間帯を狙って手紙を作成したのね。まあ、この時間帯にいた人を絞るのは簡単よ。だって、誰よりも早く会社に来て、夜も最後まで残って仕事をしている人なんだから」

――みんなの視線がある一人に向かって注がれた。

「ま、まさか……こ、近衛くん⁉」

しばらくのあいだ沈黙が続いた。そして、近衛くんが口を開いた。

「……俺は……俺は入社した時、この仕事を立派にやり遂げようと思った。だから、一生懸命に頑張ってきたつもりや。毎日のように怒鳴られ、ろくに休日もなく、身体がボロボロになっても死ぬ気で働いた。……でもな、一年間働き続けて俺は思ったんや。『俺の人生は所詮《しょせん》こんなものか』と」

「近衛くん……」

「一生懸命に働いたところで、同じ日々の繰り返し。そして俺もいつの間にか〈怒るしか能のない上役〉や〈上の目ばかり気にする上司〉〈やる気の無い先輩〉みたいになるんやろうな、ってことに気付いたんや。こんなんやったら、俺の人生なんてもう終わったも同然や」

「……だから、こんな事をしたの？」

「ああ。もうこんなどうしようもない人生を終わりにしたかったんや。そして、どうせ終わらせるなら、経理部にもお返しをしなきゃあかんと思ってな。『人生は所詮こんなものなんや』ということを教えてくれたお礼をな」

もう既に、近衛くんからいつもの優しい表情は消えていた。

「……近衛。きっ、貴様って奴は！　黙って聞いていりゃ、ええ気になりやがって!!」

それまで黙っていた白河部長が突然立ち上がり、近衛くんの胸ぐらを掴《つか》んで殴ろうとした。

ボカッ!!

「……カッキー!?　なんで、あんたが殴られているのよ!?」

僕は止めようとして白河部長と近衛くんの間に入ったため、代わりに殴られてしまったのだ。

「……し、白河さん。一つだけ僕にも言わせてくれませんか」

僕にはどうしても言いたいことがあったのだ。

「あなた方がもう少し違っていたら、近衛くんもこんな事にはならなかったんじゃないですか」

僕の言葉に反応したのは、意外にも鳥羽係長と堀河課長だった。

「――ああ、俺もそう思うな。上司である俺たちが近衛をここまで追い詰めたんやろうな」

「そうよねぇ。どんなにつらい仕事だって、上司がいい人だったら『頑張ろう』っていう気になるもんね。でも、私たちは……」

「鳥羽！　堀河！　お前ら、このワシも悪かったというんか⁉」

再び静かになった会議室で、最初に口を開いたのは萌さんだった。

「――近衛っち、今回の件で一番悪いのはやっぱりあなたなのよ。それもこんな形で復讐《ふくしゅう》をするなんて最低よ。あんたの人生がこんなちっぽけな復讐で終わっていいの？　あんたも視野が狭いというか、世界が小さいわねぇ。だから、会社の近くにこんなに美味しいたこ焼き屋があることにも気付かないのよ！」

萌さんはそう言って、残っていた〈タコ太郎のたこ焼き〉を近衛くんの口に放り込んだ。

「……美味しいな」

「でしょ。なんてったって、日本一美味しいたこ焼きなんだもの。世界中に広めたいくらいだわ」

「……ははっ」

近衛くんにいつもの優しい表情が戻った。

「こんなつまらない復讐で、人生をフイにするなんてもったいないわよ。会社だけが人生じゃないのよ。人生はやる気さえあれば何度でもやり直しがきくんだから、ねっ」

7

結局、この事件は萌さんや白河さんをはじめとする経理部のみんなの尽力で表沙汰《おもてざた》になることはなかった。

そして、近衛くんは自主退職という形で会社を去った。

——そして、半年後。

『柿本くん、元気に頑張っているか？　俺の方は元気にやっているで。今、俺はアフリカでボランティア活動をしているんや。やっぱり世界は広いなぁ。こんなに簡単なことに気付かせてくれてありがとうな。萌さんにもよろしく伝えておいてくれ。それでは、また会おうな』

絵はがきにはこの文章とともに、アフリカの子供たちと一緒に〈たこ焼き〉を食べる近衛くんの姿が写っていた。僕はこの絵はがきを、さっそく萌さんにも見せた。

「ふ〜ん。近衛っちは、〈たこ焼き〉を世界中に広めるために、わざわざアフリカにまで行ったのね〜」

「そんなこと、どこにも書いてません！　近衛くんはボランティア活動に行ったんです！」

でもこれからは〈たこ焼き〉を食べる度に、きっと僕は近衛くんのことを思い出すのだろう。

「そういえば、あの事件の時のカッキーは本当に頼りなかったわね〜」

「嫌なこと思い出さないでくださいよ」

「でもね、身代わりに殴られた時は良かったわよ」

「殴られた姿が男らしくてカッコ良かったですか？」

「カッコ良かったとは誰も言ってないわよ。やっぱり叩《たた》かれる姿がカッキーには良く似合う、って言っているのよ」

そう言って僕をポカッと叩いた。

そういえば、半年前にも同じ事を言われた気がする。

いい加減、僕も上司に復讐を考えた方がいいのだろうか……。

そう思って前を見ると、萌さんはいつものように微笑んでいた。

「カッキー、また一緒に〈美味しいたこ焼き〉を食べに行こうねっ」

［17］売掛金とは、〈これから請求できるお金〉のこと。売り上げてからお金を回収するまでの期間、売り上げた側が持つ金銭債権である。一般で言う飲み屋の〈ツケ〉と同じである。

監査ファイル6

# 〈死那葉草の草原〉事件
## ——土地の評価の話——

1

監査の最終日は講評で締めくくられる。

講評とは、監査の結果を会計士がクライアントの方たちの前で報告する場のことである。会計士側が改善してもらいたい事項をいくつか挙げ、それについて質疑応答が行われるという形が取られ、たいていは一時間ほどで終わる。

その日の講評もつつがなく終わろうとしていた。

「——というわけで、御社の最も大きな問題点は棚卸資産に計上されている販売用不動産、特に犬房地区の土地です。この土地は簿価三〇億円に対して時価一六億円となっています」

〈販売用不動産〉とは、売るために所有している土地のことである。普通、土地は業務に利用しており長期間保有されることから固定資産に計上されるが、販売用の土地は短期間保有ということで流動資産の中の棚卸資産として計上される。[18]

萌さんは一息ついて言葉を続けた。

「以前なら販売用不動産は時価の算定が困難である、または土地には物理的な陳腐化はなく将来の回復可能性があるといった理由で強制評価減の適用が見送られてきました。しかし、日本の会計システムへの信頼が失われかけている今は、強制評価減を例外なく適用することが社会から求められているのです。それは、皆さまもおわかりですよね」

販売用不動産の場合、必ず毎回出てくるのがこの〈強制評価減〉の問題だ。[19・20]

市場価格が帳簿価格の半分を下回ったら、市場価格まで評価を強制的に減らさないといけない、というルールだ。この会社で話題に上がっている犬房地区の土地の帳簿価格は三〇億円だから、市場価格が一五億円になればその時点で棚卸資産が一五億円減り、特別損失が一五億円発生する。会社の利益を左右するけっこう大きな問題だ。

辺りを見まわしてみた。みんな配布された講評レポートをじっくりと見ている。

「犬房地区の土地については、まだ価値が半減しているわけではないので、今回は強制評価減は致しませんが、今後の価格動向には注意を払ってください」

しかし、主査の萌さんはそう言って、この講評を締めくくろうとした。

突然ひとりの老人が声を上げた。

「犬房の土地はもう売ってしまったらいいんじゃ。もっと安くして売ってしまえ。のう、社長よ」

眼光鋭い老人の言葉に、席の中央にいた社長は慌てた。

「会長！　突然、変なことを言わないでください。すいません、藤原さん。会長は歳も歳なので、思いつきで言っているだけですから」

「馬鹿者！　思いつきなことなど、あるもんか。あの土地は安くていいから早く売った方がいいんじゃ」

会長と呼ばれた老人は怖い顔をし、頑として譲らなかった。

「会長さん。どうしてあの土地は売った方がいいの？　私にも理由を聞かせていただけないかしら」

「藤原さん、会長の言っていることは聞かなくていいですよ。会長はもう経営の第一線から完全に退いていますから、好き勝手なことを言っているだけなんです」

社長はそう言って、萌さんの会長への質問を遮ろうとした。

「ごめんなさい、社長さん。私は会長さんにお伺いしたいの。会長さん、どうしてあの〈販売用不動産〉は売った方がいいの？」

萌さんは改めて会長に尋ねた。

「とにかく、あんな土地売った方がいいんじゃ！」

「申し訳ないけど、それじゃ答えにならないわ」

萌さんのきっぱりとした言い様に、会長はうろたえた。

「——あの土地はのう、呪われているんじゃ。この上なく呪われているんじゃ」

あまりに突拍子もない発言にみんながあっけに取られ、その場が静まり返った。しばらくした後、その静寂を破ったのは萌さんだった。

「呪われている——つまり、何らかの原因により呪いがかけられているということね。それは何の呪いなの？」

「呪いと言ったら、呪いじゃ。その土地の呪いじゃ。そうじゃ、あの土地にはたくさんの草が生えているじゃろう。その草が呪われているんじゃ。〈死那葉草〉の呪いじゃ」

「草が呪われているんだったら、刈ったらいいんじゃないの？」

萌さんは冷静に返した。

「呪われておるから、刈っても刈っても生えてくるんじゃ。それが〈死那葉草〉の呪いじゃ」

「草って普通、刈ってもすぐに生えてくるものじゃないかしら」

さらに冷静に返した。

「だったら、その草も本当はみんな〈死那葉草〉じゃ。みんな呪われているんじゃ！」

慌てた会長の支離滅裂な発言に、その場から失笑がこぼれ出した。

「親父、もういいだろ。先に帰ってくれ」

社長は小声で会長にそう言うと、秘書を呼んで会長を会議室の外へと連れて行かせた。

その場はざわついたが、僕たちは黙って見ているしかなかった。

僕たちが訪れているのは里見総合開発株式会社。首都圏郊外のとある地域を代表する一大企業で、路線バスの運営、タクシー会社経営、ビル・マンション所有、宅地造成、病院経営、ホテル・旅館の運営まで行っている。現在の会長である里見が戦後の闇市から一代で築き上げた会社だが、老齢のため今では経営には息子の仁《ひとし》があたっている。

「萌さん。講評、お疲れ様でした」

講評が終わり、帰り支度をしながら萌さんに声をかけた。

「う、うん。カッキー、お疲れ……」

それは力のない返事だった。

「萌さん、どうしてそんなに浮かない顔をしているんですか?」

「ちょっとね。会長さんにキツイこと言っちゃったなぁ、って」

「別にいいんじゃないですか。『呪いじゃ!』とか言い出すんですよ。講評の場であんなこと言い出すくらいですから、もうボケが始まっているんですよ」

「でもね、会長さんの話もちゃんと聞いてあげた方が良かったんじゃないかなぁ、とも思うのよね」

「どうしてですか? たしか〈死那葉草〉でしたっけ。そんなデタラメまで気にしていたら、監査なんてキリがありませんよ」

「それはそうなんだけどねぇ……」

その日は結局、萌さんの浮かない表情が消えることはなかった。

2

一週間後。事務所で真っ黒い服を身にまとった萌さんを見つけた。

「萌さん。どうしたんですか、その黒装束は」

「見たら分かるでしょう。お葬式の帰りよ。カッキーにこの前来てもらった里見総合開発の会長さんが亡くなられたのよ」

「えっ、本当ですか。元気にしていたじゃないですか」

「実は末期がんだったそうよ。入院は断って、最後まで自分が作り上げた会社にいたかったんだって」

「そうだったんですか……」

「それでね、カッキー」

萌さんは改まって僕の方を見た。

「会長さんが言った〈死那葉草〉の話、覚えている？」

「覚えていますよ。会社が所有している販売用不動産の話ですよね。その犬房という土地が呪われているとかデタラメなことを言ってましたよね」

「それなんだけど、本当にデタラメな話なのかしら……」

「萌さんはこの前もこんな話を気にしていましたよね」

「あのね。やっぱり私、このことが気になるの。明日は土曜日なんだけど、その犬房に一緒に行ってくれない？」

「……呪いの〈死那葉草〉がある土地なんですよね」

「もしかして、怖い？」

「ちっ、違いますよ！」

　僕がためらったのは単に、萌さんと出かけるならもっと別の場所に行きたかった、ということだけだった……。

　——電車を乗り継ぎ二時間。バスに乗り換えて一時間。

　そこからは車も通れない峠があるということなので、二人で歩いていくことになった。

「ねぇ、カッキー。この前の監査の時、販売用不動産の担当ってカッキーだったわよね」

　峠道を歩きながら萌さんが突然仕事の話を切り出した。周りにはまったく人がいない、
と判断したのであろう。

「そうですけど、何か？」

「これから行く犬房地区の土地の話なんだけどね。簿価三〇億円というのはきっと買値が
そうなんだろうから別にいいんだけど、時価一六億円って具体的にどう確かめたわけ？」

「ちゃんと監査委員会報告を読みながら時価を確かめましたよ。たしか犬房の土地は宅地
用ということだったので、〈販売公表価格〉を使いました」

「具体的には？」

「不動産屋さんが発行しているパンフレットの価格です」

「そう。公示価格[21]や路線価[22]はなかったの？」

「さすがにこんな辺ぴな地域なんで、公示価格の地点からはかなり外れていたんですよ。路線価も同じで実際の取引価格とはかけ離れている、と会社の方が言っていましたから」

「なるほどね……」

　三十分ほど歩いて、ようやく目的地犬房までたどり着いた。犬房は山々に囲まれた広い草原だった。周りには建物も何も無く、昔人家があったことを偲《しの》ばせる家屋が遠くに見えるだけだった。土地自体は宅地用にも工場用にも使えそうな普通の土地なのだが、なにしろ交通の便が悪すぎるので未《いま》だに買い手が付かないのだろう。

「萌さん。この草、どう見ても普通の草なんですけどね。これにも呪いがかけられているんでしょうか」

　僕はそのあたりに生えている草を無造作にむしって眺めていた。

「あれっ、あそこに人影が見えるわ」

　僕の質問を無視して、萌さんが声を上げた。

「ここは里見総合開発の私有地なんですよね。どうして、人がいるんでしょうか？」

僕は首をかしげた。

「とにかく、そこへ行ってみるわよ」

萌さんはその人の許《もと》へと駆け出した。


近くに寄ってみると、それは着物を着た一人のおばあさんだった。

「おばあちゃん！　おばあちゃんはこの土地の人なの？」

萌さんは気軽に話し掛けた。

「そうじゃよ、お嬢ちゃん。住んでいたのは、もうずーっと昔の話になるがねぇ」

「今はもうここには誰も住んでいないの？」

「昔この村が無謀なダム建設のために沈むことが決まった時に、多くの村人がここを去っていったんだよ」

「でも、まだここはダムになっていないじゃない」

「義ちゃんがここの土地を買い上げて、この村を救ったんじゃよ。『この土地はダムに沈めていいような安っぽい土地じゃない。もっと価値のある土地だ』と言って、高いお金を出して買ったんよ。おかげでこの村はダムに沈むことだけは免れたが、やはり不便さのために村人はみんな村を出て行き、私のようにこうやってたまに帰ってくる者がいるだけの場所になっちゃったんだよ」

おばあさんは寂しそうに言った。

「おばあちゃん、その義ちゃんってまさか里見総合開発の会長さん？」

「そうじゃよ、よく知ってるねぇ。里見義任《よしまさ》という名前だから、みんな昔から義ちゃん、義ちゃんって呼んどったんよ」

「おばあちゃんは昔から会長さんと知り合いだったのね」

「幼馴染《おさななじ》みじゃからねぇ、義ちゃんと私とは……」

おばあさんは昔を思い出すかのように遠い目をした。

僕らは小川のそばの石垣に腰を下ろした。

「おばあちゃん、ここでよく遊んだりしたの？」

「そうじゃよ。山に登ったり川で水遊びしたりしたわねぇ。近所で歳も近かったから二人はいつも一緒だったんよ。だから、義ちゃんの一家が村を離れて街に出ると聞いた時はとっても悲しくてねぇ。まだ幼かったのに『私を嫁にして一緒に連れて行って』とごねて両方の親を困らせたもんよ」

おばあさんは懐かしそうに笑った。

「素敵なお話ね、おばあちゃん。ねぇ、その義ちゃんから〈死那葉草〉の話って聞いたことない？」

「萌さん、何を聞き出そうとしているんですか。関係ないですよ、その話は」

僕は萌さんに注意した。

「そんなことわかんないじゃない。この村に古くから伝わる伝説なのかもしれないし」

萌さんは口をとがらせた。

「〈死那葉草〉ねぇ。懐かしい響きだわ。別にこの村にある伝説かどうかはわからんよ。でも、義ちゃんが昔言っていたわねぇ」

「会長さんが言った？」

「そうなんよ。義ちゃんがこの村から出て行くとき、ずっとごねていた私に言ったんよ。『俺とあんたとはずっとこの草原で遊んどったじゃろう。この草原に生えている草は〈死那葉草〉といって呪いの草なんじゃ。この呪いに毒されているから俺たちは一緒にいられない。だから、ここでお別れじゃ』と」

「それで、どうなったの？」

「これも運命だと思って、私は義ちゃんと一緒になることを諦《あきら》めたんじゃ」

「そんな……」

萌さんはつぶやいた。

「も、萌さん。会長さんはこのおばあちゃんの事が嫌いになってしまったのでしょうか。とても哀しい話ですね、〈死那葉草〉の話って」

僕の目の前に広がる草原も、とても哀しげに見えた。

3

「——大奥様！　大奥様！　こんなところにいらっしゃいましたか」

黒服のスーツを着た男たちが、隣のおばあちゃんめがけて走ってきた。

「大奥様⁉」

僕らが唖然《あぜん》としていると、おばあちゃんが黒服の男たちに声をかけた。

「おやおや、ここに来ていたことが見つかってしまったわねぇ」

黒服の男たちはおばあちゃんの前でひざまずいた。

「大奥様もお歳なんですから、ご無理はお止めください。会長が亡くなられたばかりで、思い出の土地に来たい気持ちもわからなくはないですが、もし大奥様に何かあれば、仁社長だけでなく亡くなられた義任会長にも合わせる顔がありません」

「ちょ、ちょっと待ってください。このおばあちゃんはもしかして……」

僕の質問に黒服の男の一人が答えた。

「里見総合開発の会長の奥様にして、現社長のお母上である里見ふせ様ですが、なにか？」

「おばあちゃん、会長さんとは結ばれなかったんじゃなかったの⁉」

萌さんが横のおばあちゃんに訊いた。

「うふふ。〈死那葉草〉の話を聞いたときは、私もまだ幼かったからわからんかったんやけども、大人になって〈死那葉草〉の謎も解けたんよ」

「〈死那葉草〉の謎が解けた？」

「そう。謎が解けたら〈死那葉草〉の呪いも解けたんよ。そして、私は義ちゃんの許へ逢《あ》いに行った」

「〈死那葉草〉の呪いも解けた⁇」

僕らが不思議がっていると、黒服の男たちが僕らに声をかけてきた。

「あなた方には大奥様を見てくださって感謝いたします。しかしながら、ここは里見総合開発の私有地でもありますので、早急にお引取りくださいませ」

黒服の男たちはそう言って一礼すると、おばあちゃんを連れて立ち去っていった。

僕らはこの犬房と呼ばれる草原に二人取り残された。

「なるほど、〈死那葉草〉の呪いね〜。私もやっと謎が解けたわ」

萌さんがつぶやいた。

「萌さん、本当ですか⁉」

「ええ本当よ。それに、どうして講評の場で会長さんが〈死那葉草〉の話を持ち出したのかも——それじゃ帰るわよ、カッキー」

「えっ、僕にはまだ何が何やらわからないんですけど」

「あんたもいつかは気付くわよ。それにしても、素敵な恋人だったんでしょうね。会長さんとおばあちゃんは」

「そうですね、幼馴染みっていいですよね」

「いいなぁ。私にも突然現れないかなぁ、優しくてお金持ちでルックスも最高の幼馴染みが」

「……たとえ幼馴染みがいたとしても、そんな要望を出されちゃ現れづらいですよ」

4

〈死那葉草〉の謎が解けたという萌さんは、さっそく精力的な行動を開始した。

犬房から一番近い町に出て、不動産屋をこまめに回りだしたのだ。

その結果、明らかになったことは、不動産屋のパンフにあった『犬房地区　販売価格一六億円』という金額は里見総合開発側からの強い要望で書かれたものであって、実際の時価は一〇億円程度しかなかったことであった——。

萌さんはこの事実を里見総合開発に突きつけた。すると、社長から回答として次のような返事が返ってきた。

『犬房地区の土地の時価が一〇億円ほどしかないことは承知しておりました。

しかし、犬房の土地は会長の故郷で、ダムから救うために買い上げた土地。当初は鉄道を犬房まで引いて活性化させる予定でしたが、バブルの崩壊でそのための資金調達が困難になったまま今に至っている土地です。

犬房地区の時価は数年前に一五億円を切っていたのですが、土地を買い取った会長の面目を保つために、地元の不動産業者に要請して高値で売りに出しておりました。

会長にはそのことを知らせていなかったはずなのですが、時価が急激に下がっていたことを直感で気付いていたのでしょう。

ですから講評の場で「安くていいから売ってしまえ」という発言をしたと思われます。このご時世でダム建設の可能性が低くなったこともあるのでしょうが、自分が買った土地の簿価が実際以上に水増しされている事態に良心の呵責があったのだと思われます。

同じ犬房を故郷とする母とも相談した結果、土地の簿価を一〇億円にまで切り下げた後、もう一度村の活性化を図ることにしました――』

「――萌さん、どうして不動産屋の販売価格がウソだとわかったんですか？」

事務所で里見総合開発の調書整理をしていた僕は、萌さんに尋ねた。

「それはもちろん、〈死那葉草〉の謎を解いたからよ」

「あのー、僕にはまだその謎が解けないんですけど。そもそも、どうして会長は講評の場で〈死那葉草〉の呪いの話なんてしたのでしょうか？」

「それは、今の経営陣に気を遣ったからじゃないかしら。自分の面目を保つためにウソの販売価格を作ってくれているのに、そのことを面と向かって糾弾するわけにいかないじゃない。だいたいあの時点では、まだ疑惑の段階だったんだし」

「なるほど」

「だから〈死那葉草〉の話をして、私たちがそのことに気付くように仕向けたのよ。昔、一度奥さんに対して使ったことを思い出したんでしょうね。よかったわ、私たち会長さんの期待に応《こた》えることができて」

「すいません。まだ話がよく見えてこないんですけど」

「カッキー、ここまで言ってまだわかんないの？〈死那葉草〉の意味が」

「だから、さっきからわからないって言っているじゃないですか」

「〈死那葉草〉よ、し・な・ば・そ・う！」

「それは知っています」

「知っていても、わかっちゃいないじゃない。し・な・ば・そ・う、逆から読んでみなさいよ」

「し・な・ば・そ・う――あっ!!」

謎というにはあまりにも単純な謎を解いた。

「――どうでもいいんですけど、ビックリするほどくだらなくないですか」

「そうね。ほんと、言葉遊びの類《たぐ》いよね。でも、もともとは少年時代の会長さんが考えた言葉遊びなんでしょう。それを何十年経っても覚えているなんて、きっと会長さんは遊び心あふれる素敵な人だったんじゃないかしらね」

いまちょっとだけ、あの怖い顔をしていた会長さんの素顔をのぞけたような気がした。


犬房の草原は、きょうも草が光っている。

草原の会計上の価値は下がったが、会長さんの夢の価値は下がらない。

会長さんは「三〇億円の価値なんてウソ話だ」と僕らに伝えたけど、ウソ話じゃなくなる日もいつか来るんじゃないかな——。

[18] 資産の中でも営業活動上発生するもの、短期間利用するものは〈流動資産〉、長期間利用するものは〈固定資産〉と分類する。
[19] 強制評価減とは、時価が簿価に比べて著しく（五〇％以上）下落し回復の見込みがない場合には、損失を出して時価にまで切り下げなければならない、という会計のルールのこと。土地に限らず商品や製品・原材料も同じように価値が低下すればこの〈強制評価減〉をしなければならない。
[20] 日本公認会計士協会は二〇〇一年三月期より販売用不動産等の強制評価減の適用

を実質的に義務付けた。この際、一部の企業は販売用不動産を「業務用に利用する」ということにして、流動資産から固定資産へと移し替えた。固定資産には〈強制評価減〉のルールは適用されないからである。この反省も踏まえ、固定資産にも〈強制評価減〉を適用させようとするルールが、二〇〇六年三月期からの適用が検討されている会計ビッグバン最後の大物〈減損会計〉である。

[21] 公示価格とは、土地取引の目安とするために、国土交通省が決定する土地価格。

[22] 路線価とは、課税のために国税庁などが決定する土地価格。

監査ファイル7

# 〈ベンチャーの王子様《プリンス》〉事件

## ——SPC（特別目的会社）の話——

1

監査第一日、月曜日。

「——伴さんも萌さんも来るのが遅いなぁ。もう集合時間過ぎているのに」

僕は今週のクライアント[23]〈株式会社アイスメディア〉本社ビル前の公園で、代表社員の伴さんと主査の萌さんを待っている。

僕ら監査人は毎週さまざまなクライアントに行くので、現地集合・現地解散の場合が多い。そして今回は監査初日から現地集合となったため、こうしてほかのメンバーを待っているのである。

「それにしても伴さんってどんな人なんだろう。萌さんがいなくても見分けが付くかな……」

大手監査法人の場合それぞれのクライアントによって関与する上司が異なるため、さまざまなクライアントを担当すると結果として大勢の上司の下で働くことになる。したがって一年目の僕にとっては、上司を一人一人覚えることなどできず、上司とはクライアント現場で初めて出会う場合も多々ある。

今回も、代表社員の伴さんと仕事をするのは初めてのため、どの人が伴さんなのかは未《いま》だに知らない状態なのである。

「あっ、あの人、事務所で見た記憶がある。あの人かな？」

目の前に、アイスメディア本社ビルの表玄関に入ろうとしている小柄なオジサンが歩いていたのだ。

僕はその人に駆け寄っていった。

「あの、伴さんですか？　はじめまして、〈J1〉の柿本一麻と申します。今回はよろしくお願い致します」

しかし、僕に挨拶《あいさつ》されたオジサンはきょとんとした顔をしている。

「……あっ、すいません、人違いでした。ごめんなさい」

「はっはっはっ。いいんだよ、気にしなさんな。そうか君はJ1か、仕事にはもう慣れたかい？」

「いや、まだ全然です。上に言われたとおりにやっているだけですから」

「最初は誰でもそうだよ。何年経とうが、上に言われたとおりにやらなきゃならないかもしれんがな。……すまない、つまらないことを言ったな。それでは失礼するよ」

人の好さそうなオジサンはそう言うと、本社ビルの中へと入っていった。

僕はそのまま突っ立っていると、背後から声がした。

「カッキー、おはよー。私、遠くから見てたわよ。あんた、朝からオヤジをナンパしていたでしょう。それも、失敗してシュンとしちゃってさ」

「萌さんこそ、朝から人聞きの悪いことを言わないでくださいよ。単に人違いで声を掛けてしまっただけなんですから」

「そうなの？　でも、けっこうしゃべっていたじゃない」

「僕がJ1だと知って、『もう仕事には慣れた？』とか訊《き》かれていただけですよ」

「ふーん、変ねぇ。〈J1〉と聞いて、それが会計士補一年目だとわかる人だったんだ」

「経理部の方とかだったら、知っている人もいらっしゃるんじゃないですか」

「でもさっきの人、表玄関から入っていったじゃない。ここの社員なら裏にある社員通用口から入るはずなんだけど」

「そうなんですか……」

「うーん。カッキーがナンパした人って、一体誰なのかしらね？　そうそうナンパといえば、この近くに〈ピュアフラット〉っていうオシャレな喫茶店があるじゃない。今さっきそこで朝食をとっていたら私もナンパされたわ」

「萌さん、またですか。もしかして、だから今日は遅刻したんですか」

「仕方ないじゃない。今日の奴って、とてもしつこくてうるさかったんだから。って、あっー、もうこんな時間じゃない！　早く行かなきゃ伴さんに怒られちゃう。伴さんは仕事熱心だから、もう先にビルの中に入っているはずよ」

「えっ、そうだったんですか！」

「カッキーも急ぐのよ！　もう、私が主査なんだから、カッキーの分まで叱《しか》られなきゃならないじゃない」

そう言いながら、萌さんは本社ビルの中へと駆け出していった。

「そもそも遅刻したのは、萌さんが原因じゃないですか……」

## 2

監査で使わせてもらう会議室に行くと、伴さんは既に来ていたみたいでカバンだけがそこに置かれてあった。

「伴さんは、おそらく経理部長に会いに行ったのね。そうそう、トランク開けてくれない？　そこに指示書や手続書も入っているから見ておいて」

僕は監査法人から先に送っておいたトランクのある所に行き、中から荷物を取り出した。そして、荷物の中から監査指示書を見つけた。

「――えっ、ここの監査って一週間しかなかったんですか！」

「そう、正確に言うと五日間しかないわよ。それも、金曜日の午後には決算発表[24]があるから、実質そんなにないわね」

萌さんは平然と、僕が取り出した監査調書をぱらぱらとめくっていた。

決算発表とは、決算終了後に会社の財政や経営成績をマスコミ向けに発表することで、その時までには監査もほぼ終了させておかなければならないのだ。

「そんな短期間の監査を萌さんと僕の二人でするんですか[25]！」

「そうよ。何だか前から伴さんって、ここにあまりスタッフを入れていなかったみたいなの。だから、代表社員にもちゃんと監査をやってもらうんだけどね」

「継続の監査スタッフはいないんですか。萌さんはここ初めてなんでしょう。僕ももちろん初めてですし」

「前の主査もスタッフもこの前事務所を辞めちゃったのよ。だから、私に主査が回ってきたっていうわけ。まあ、伴さんもいることだし、経理部長も……」

「経理部長がどうかしたのですか」

「いや、何でもないわ。ちょっと憂鬱《ゆううつ》になっただけよ……」

「???」

株式会社アイスメディア——今最も注目されているIT系ベンチャー企業の一つである。ソフトウェアやシステムの開発においてほかの企業には真似できない独創的なアイデアと卓越した技術力を持っている企業である。

そのアイスメディアを率いるのが社長の在原《ありわら》純平、二十五歳。学生時代から天才プログラマーとして有名で、そのモデル並みのルックスと甘いマスクから今では〈ベンチャーの王子様《プリンス》〉として新聞・雑誌にたびたび登場している。

現在、設立五年目で当期の業績予想ではグループ売上高一〇〇億円、当期利益五億円、一株あたり利益は一万円。

今の株価は一株二〇〇万円をつけており、時価総額[26]一〇〇〇億円、で株価収益率（PER[27]）は二〇〇倍と驚異的な数字をつけている。

市場の評価が高いのは、その独創的なアイデア・卓越した技術力と共に健全な財務体質を誇っているからでもある。無借金経営で株主資本比率は八〇%、と通常の企業に比べて数段優れているのだ――。

「へぇ、〈パターン化した画像を脳に認識させることにより、脳幹の縫線核から伝達物質セロトニンを分泌させて脳波をθ波・δ波に導き徐波睡眠へと至らせる〉自動睡眠ソフト〈おやスイミン〉だって。そしてお次は〈人間の心臓や脳の周辺で発生する微量の磁気すなわち低周波磁界を測定し、その磁気から神経活動を分析、緊張やストレスを測る〉嘘発見ソフト〈しょうジキ〉。どっちも中身はともかく、ネーミングがイケてないわよねー」

萌さんはアイスメディアの開発企画書を楽しそうに読みながら言った。萌さんが言うには、ベンチャー企業の開発企画書にはスゴイものから変なものまでいろいろあるから、読み物として十分面白いそうだ。

「そうそう、今回カッキーは財務関係だけをちゃんとやっておいてくれたらいいからね」

「え、それだけでいいんですか」

「いいの、いいの。ほかの科目は私や伴さんが広く浅く見ておくから。だいたい、とある事情で固定資産がほとんどないし、〈アイスメディアは経理部長がしっかりしている会社だからリスクは低い〉って伴さんも言っているしね」

「どうして、固定資産がほとんどないんですか」

「長くなるから、また後で説明するわ」

「そういえば、この会社って借入金もないんですよね。じゃあ、借入金項目は別に調べなくてもいいですか、萌さん」

「うーん、別に何もしなくてもいいんだけど、一応財務部に行って借入金が本当にないかどうか確かめてきてくれない？」

そう言われて、僕は財務部にアポイントの電話を入れてみた。

すると、担当の人が会議室まで来てくれることになったので、僕はしばらくここで待つことにした。

コンコンコン

「どうぞ、開いていますよ」

そう僕が言うと、ドアから大柄で長身の一見怖そうな人が入ってきた。

「失礼する。財務部長の遍照《へんじょう》です」

その方は野太い声でそう挨拶《あいさつ》した。

「はっ、初めまして。今回、財務関係を担当致します柿本と申します。わざわざ、部長さんがここまで来られなくてもよかったのですが」

「いや。うちの会社は財務関係がポイントだから、会計士さんにはしっかり説明しないといけないと思ってな」

「財務関係がポイントなんですか」

「ああ、うちはちょっと複雑でな」

「そうですか？　過去の調書を見ているかぎりでは、借金をせずに新株発行による増資で資金調達する方法しか採られていないみたいなんですけど」

「それが、そんなにシンプルな話じゃないんだ。というのも」

遍照部長が次の言葉を発しようとした、まさにそのときだった。

プルプルプルプル

「すまない、電話が入ったようだ。一体誰だろうな。銀行との打ち合わせは午後からのはずだが……」

遍照部長は胸の内ポケットから携帯電話を取り出し、一、二度うなずくと携帯を切った。

「申しわけないが、社長が私を呼んでいるようだ。……すまないが、またあとでここに来させていただく」

遍照部長はそう言うと、会議室から立ち去った。

「萌さん、ここの資金調達ルートって複雑なんでしょうか」

「――えっ、何か言った？」

「僕の話も遍照部長の話も聞いていなかったんですか」

「遍照部長の話はちゃんと聞いていたわよ。何かちょっと引っ掛かるわね。〈変なこと〉が起きなきゃいいけど――」

その〈変なこと〉が起きたのは、それから数時間後。

僕らがそのことを聞いたのは翌朝のことであった。

3

監査第二日、火曜日。

「えっー、遍照部長が行方不明⁉」

遍照部長は前日、会社から忽然《こつぜん》と消えたまま連絡が途絶えてしまったそうだ。そのため財務部の中は、部長が急に行方不明になったということで（もっとも、行方不明は急になるものだが）朝から大騒ぎ。本当に大変なことになっている。

「それでは、借入金の質問を僕は誰にすればいいんですか」

僕はそこで忙しく仕事をしていた財務部の人に訊《き》いてみた。

「会計士さん、すいませんが今こっちは監査どころじゃないんだから、ちょっと監査のほうはあとにしていただけませんか」

「そんなこと言われても、監査はちゃんとしなきゃならないんですけど……」

僕がそう言ってぐずっていると、後ろのほうから声を掛けられた。

「柿本くん。ここにいても財務部さんはお忙しいようだから、ここを離れないかい。私で答えられることなら、私が全部質問に答えるから」

「あっ、文屋《ぶんや》部長」

優しく声を掛けてくれたのは、経理部長の文屋さんだった。

前の日初めてお会いしたのだが、僕らに対してとっても親切にしてくれる方だ。

というのも、なんと去年まで僕らと同じ監査法人にいて、ここアイスメディアの主査をしていた方だったのだ。

「じゃあ、柿本くん。会議室のほうへ行こうか」

文屋部長はまだ三十代半ばと若い。それなのに、部長としてヘッドハンティングされたのだから、かなり優秀なのだろう。

「遍照部長がいなくなったことだけど、心当たりがないわけでもないんだ……」

「それはどういうことよ、文屋さん」

やはり萌さんも遍照部長失踪《しっそう》のことが気になっているらしい。

「最近、遍照部長と社長との仲が険悪だったんだ。社長が遍照部長のことを怒鳴りつけていたのを見た、という社員もいるらしいし」

「その原因について何か心当たりはないの」

「すまないが、私もさっぱりわからないんだ。とにかく社長が絡む話だから、君たちは首を突っ込まないほうがいい。何かわかったら君たちにもすぐに連絡するから」

文屋部長はそう言うと、忙しそうに会議室を離れた。

僕は気になったことを萌さんに訊いてみた。

「萌さん、部長クラスの人が失踪したりすることなんてよくあるんですか」

「よくはないわよ。でも、ないこともないわね。仕事で行き詰まったり、取り返しのつかない失敗をしたり、ストレスが極限まで高まったりすると、突然消えてしまう人もいるわね」

「それからどうなるんですか」

「ひょっこり戻ってくる人もいるけど、二度と帰って来ない人もいるわよ。実は自殺していて、遺体となって帰ってくる人とかも――」

「縁起でもないこと言わないでください。それで萌さん、これからどうしましょう」

「これからどうするって、もちろん失踪事件を究明するわよ。まずは社長にヒアリングね」

「萌さん！　文屋部長の話を聞いていましたか。社長にはかかわらないほうがいい、っておっしゃっていたじゃないですか」

「それはそうだけど、社内の人じゃ社長にちゃんと訊けないじゃない。だから、外部の人間である私たちが訊きに行ったほうがいいのよ」

萌さんはそう言うと、なぜか不自然なくらいすぐさま社長室のほうへと向かって行った。

「在原さん、ってどんな人かしら－。楽しみね－」

「なんだ、社長室にすぐ行く理由ってそれだったんですね」

「別にそういうわけじゃないけど、何かしらの理由がないと社長になんて会えないじゃない」

「まあ、それはそうですけど。それにしても、ずいぶんとウキウキのご様子ですね」

「当たり前じゃない。〈ベンチャーのプリンス〉よ〈プリンス〉、一目《ひとめ》惚《ぼ》れでもされたら玉の輿《こし》だもんね－」

「萌さん、もう当初の目的は忘れていますよね。それで、その在原社長は萌さんの好みのタイプなんですか」

「う－ん。雑誌とかで見たことあるけど、いかにもモテそうなタイプだからあんまり好きじゃないのよねぇ。でも、お金持ちよ、お金持ち。贅沢《ぜいたく》は言ってられないわ」

「いや、十分贅沢なことを言っているんじゃないですか……」

そうしているうちに、萌さんと僕は社長室の前へとやってきた。

トントントン

「すいません。先日より監査に参っております、監査法人の者です。至急お伺いしたい件がございますので失礼致します」

僕はそう言って社長室のドアを開けた。

そこには、茶髪にハンサムな顔立ちでブランド物スーツをバシッと着込んだ人物が、仕事をしている最中だった。彼は僕たちに気付くと顔を上げて、さわやかに微笑んだ。

「ようこそ、いらっしゃい。社長室に何の用だい？」

彼の挨拶《あいさつ》に対して、萌さんは驚くほど無礼な反応をした。

「あっー!!　あんた誰かと思ったら、昨日のナンパ野郎じゃない！　あんたが〈ベンチャーのプリンス〉在原純平だったの⁉」

「誰かと思ったら〈ピュアフラット〉にいた彼女じゃん。こうやって再び出逢《であ》うとは、俺たち何か運命的なものがあるのかもな――」

4

監査三日目、水曜日。

僕がいつもどおりに監査をしていると、定刻より少し遅れて萌さんが眠たそうにやってきた。

「カッキー、おはよー。夜更ししたから朝がつらいわ。あれっ、伴さんは？」

「僕より早く来ていましたよ。またカバンだけ置いて出かけたみたいですけど」

「ふーん、忙しい人ね。それでどう、遍照部長の消息はわかった？」

「いえ、まだ会社にも家族の方にも連絡が来ないそうです」

「それで警察には捜索願とか出したの？」

「いや、それなんですが……会社のほうが協議した結果、捜索願はしばらく出さないことになったそうです」

「それは、一体どういうことよ」

「財務部長が失踪という事態はアイスメディアの企業イメージを著しく損ない、株価にも悪影響を及ぼすので、当面表沙汰《おもてざた》にするのは得策ではない、ということになったそうです」

「なにバカなことを言っているの。人の命がかかっているのよ」

「文屋部長から聞いた話なんですが、在原社長がそう強く主張したらしいですよ」

「アイツってそんなに最低な男だったのね。昨日の夜はそんな話、ひとこともなかったのに」

萌さんが何気なく言った言葉に、僕は一瞬言葉を失った。

「えっ……萌さん、昨晩は在原社長と一緒にいたんですか」

「そうよ。彼に飲みに誘われたの」

「……もしかして、それで昨晩は遅かったんですか」

「なに？　カッキーは、私と彼のことが気になるの？」

「そういうわけじゃ、ありませんけど……」

「そうそう、カッキーには調べて欲しいことがあるの。ちょっとこの会社のSPCがどうも怪しいのよ」

「SPCですか……すいません、SPCって一体何なんですか」

「あんたも勉強不足ねぇ。SPCはスペシャル・パーパス・カンパニー、つまり特別目的会社のことよ」

「はあ、そうなんですか。それで、どうしてアイスメディアにはそのSPCがあるんですか」

「実はそこなのよ。SPCが存在することだけは確かなんだけど、その全体像が摑《つか》めないの。そこをなんとか調べたいのよ」

萌さんがそう言ったとき、会議室をノックする音が聞こえた。

「開いているみたいだから、勝手に入らせてもらうよ」

そう言って入ってきたのは、今日も優しい顔をした文屋部長だった。

「文屋さん、おはよー。それで、遍照部長失踪《しっそう》について何か新しい情報でもある？」

「ああ。実はうちはいくつかのSPCを使っているんだけど、その我が社のすべてのSPCを遍照部長が担当していたんだ。どうやらその件で社長と対立したらしい」

「あっ、僕らも今ちょうどそのSPCの話をしていたんですよ。それで質問があるんですけど、アイスメディアには何のためにSPCがあるんですか」

「柿本くんはうちの帳簿上に固定資産がほとんどないことについて、何か聞いたことはないかい」

「そういえば、固定資産がほとんどないという話だけは聞きました」

「そう、実はうちはＳＰＣを使って、建物や土地といった固定資産を利用しているんだ。アイスメディアが必要とする固定資産をＳＰＣに買ってもらい、それをアイスメディアがＳＰＣから借りて利用するんだ」

「いわゆるストラクチャード・ファイナンス[28]よ。それらの固定資産は賃貸リース契約でアイスメディアに利用されるだけなんだから、帳簿上には表れないってわけ。ＳＰＣを使うと本体の資産を増やさずに設備投資とかができるから、最近よく使われているのよ」

　萌さんが文屋部長の説明に付け加えた。

「ちょっと待ってください。ＳＰＣが買うといっても、ＳＰＣ自体には誰がお金を出すんですか」

「それは投資家の方にお金を出してもらうんだよ。だからＳＰＣは別に子会社というわけじゃないんだ。でも、遍照部長はそこを悪用していたみたいなんだ。ＳＰＣの運営は我が社とは関係ない人がしているはずだったんだが、実質は遍照部長が取り仕切っていて、彼が運営手数料収入も不正に手に入れていたようだ」

「なるほど、そこで何らかの金銭トラブルが発生していたというわけね

「――」

萌さんは文屋部長が出て行った後も、しばらく考え込んだまま黙っていた。

「――ダメだわ。どうしても不自然な点が多すぎる。遍照部長って、本当に失踪したのかしら」

「どっ、どういうことですか!?」

「自分から失踪したんじゃなくて、誰かに失踪させられた。つまり、誰かに脅迫されたのかも」

「もしそうなら、立派な事件じゃないですか。こうしてはいられないですよ、どうしましょう!」

「ちょっと待って。問題は〈遍照部長を失踪させた犯人は誰か〉ってことなのよ。それにSPCの使い方にもまだ疑問が残るわ。しばらく考えさせて――」

そしてしばらくしたあと、驚愕《きょうがく》のセリフが萌さんの口から飛び出した。

「あのね、カッキー。――今日は、監査はやめにして私とデートしない?」

萌さんは笑顔でそう語りかけている。

「……それって、何かの冗談ですか」

「ひどいわ！　カッキーったら。私が勇気をふりしぼって言ったデートの誘いを冗談だなんて」

萌さんは瞳《ひとみ》を潤ませている。

「わかりました。萌さんがそう言うなら、今日は監査をやめてデートに行きましょう。それじゃ、とりあえず近くの喫茶店〈ピュアフラット〉にでも行きますか」

「ありがと。好きよ、カッキー」

僕らがアイスメディア本社を出ると、萌さんはスタスタと先を歩いていった。

「萌さーん、ちょっと待ってくださいよ」

前を行く萌さんに声をかけると、萌さんは冷めた顔をして振り向いた。

「カッキー、あんた本気で今日は私とデートすると思ったわけ？」

「えっ、だってさっき瞳を潤ませながらそう言ったじゃないですか」

「私が監査を放り出してデートなんかするわけないでしょう。ちょっと考えればわかることじゃない」

「それはそうですけど……」

「それじゃ、さっさと〈ピュアフラット〉に行くわよ」

萌さんはそう言うと、また先をスタスタと歩いていった。

「——萌さん。何をずっと考えているんですか」

〈ピュアフラット〉に着いてからも、萌さんはずっと黙り込んだままなのである。

「ちょっと待っていて。考えがまとまったら、カッキーにも話すから」

コンコンコン

そのとき、僕らが座っているテラスのすぐ横のガラス窓を叩《たた》く人がいた。

「在原社長！　どうしてこんな所に⁉」

「……やはり来たわね」

ガラス越しの在原社長には、どうやら僕らの声は聞こえていないらしい。彼はさわやかな笑顔を萌さんに投げかけると、小走りで喫茶店の中へと入ってきた。

「萌っち、萌っち。俺たちがこんな所でまた出逢《であ》うとは。きっと二人の間に何か惹かれあうものがあるんだろうな」

「『萌っち』って、ずいぶんと馴《な》れ馴《な》れしい言い方ね」

「いいじゃん、萌っちと俺との仲なんだし。ほら、こんなパッとしない会計士補なんかとお茶するより、俺と昨日の続きをしないか」

「うーん。どうしようかなー」

「萌さん！」

僕はつい大声を上げてしまった。

「わかったわ。悪いけど今はこのパッとしない会計士補と二人にさせてくれない？　席を外していただけると助んだけど」

在原社長が〈ピュアフラット〉を出て行ったあと、萌さんはブラックコーヒーを飲みながら僕に言った。

「カッキー、あんた私にいろいろと訊きたいことあるんでしょう。その顔を見ていたらわかるわよ。何でも答えてあげるから、言ってごらん」

「本当に何でも訊いていいんですか。それじゃ、萌さんは在原社長と……どうなんですか」

「どうなんですか？　って何なのよ。そんなことが気になっていたの？　あのプリンスとは昨日一時間ほど一緒に飲んだだけよ。遍照部長とのことや、ここの会計処理について何か情報を仕入れようと思ってね。でも彼ったら、ずっと知らないフリをするのよ。きっとこれにはなにか裏があるわ」

「それじゃ、昨晩遅かったのは……」

「そのあと、事務所に戻って過去の調書を洗い直したのよ。それでわかったんだけど、SPCについての調書がちゃんと残っていなかったの。誰かがちゃんと調べたはずなのに。だから、カッキーにSPCについて調べて欲しいって頼んだのよ——って、カッキー。なにホッとした顔してるのよ」

「べっ、別にホッとした顔なんてしてませんよ——それにしても、どうしてこんな茶番劇までしてアイスメディアから出る必要があったんですか」

僕の質問に対して、萌さんは持っていたファイルから一束の書類を取り出した。

「これを見て。これはアイス工学研究所というアイスメディア傘下の研究所の開発企画書よ」

僕らは監査に必要な書類なら何でも会社側に請求することができる。開発企画書のような企業機密文書でも、監査で必要なのであれば手に入れることができるのだ。もちろん、そのぶん監査人には守秘義務の厳守が求められることになる。

「ほら、そこのページを開いて。高性能音声言語解析ソフトの開発の話が載っているでしょう」

「はい」

「どうやら、マイクロフォンで拾った音声に信号処理と知識処理を行い音声から言語情報を自動的に抽出し、その言語情報を構文レベルにまで抽象化して分析、高性能サーチエンジンを使って希望の会話を検出するというソフトを開発しているらしいのよ」

「……はぁ？」

「もう、じれったいわねぇ。簡単に言うと、〈盗聴ソフト〉を開発しているのよ」

「えーっ！」

「これまでの盗聴機と違うところは、人手を使わずに、自動的に怪しい会話をチェックできるという点ね」

「何だかスゴイものを作っていたんですね。で、それがどうかしたんですか」

「だから、私たちの使っていた会議室にも、その盗聴ソフトがセッティングされていた可能性があるのよ。だいたい、月曜日は遍照部長がこれから大事な話をしようとしていたそのときに社長から呼ばれたでしょう。火曜日も私たちがSPCについて調べようとしたら、文屋さんが来てSPCの話をしてくれたじゃない。そして今日は社長がこの〈ピュアフラット〉に私たちがいるのを偶然見つけた――何かとタイミングが良すぎない？」

「そう言われれば、そんな気も……つまり、誰かが盗聴ソフトを使って僕らを監視していた、と」

「そうよ。だから私たちはうかつにしゃべることができない〈監視された監査〉をしなくちゃならなくなったのよ。あー、なんだか重苦しい雰囲気のデートになっちゃったわね、カッキー」

「これって、やはりデートだったんですか⁉」

5

監査第四日、木曜日。

朝、いつもどおりにアイスメディア本社に入ろうとすると、後ろから声を掛けられた。

「キミ、〈J1〉のキミ。おはよう」

「あっ、あのときの！　お、おはようございます」

それは月曜日に僕が人違いで声をかけてしまった、あの人の好さそうなオジサンだった。

「キミ、今年の監査の様子はどうだい？」

「はい。それが、財務部長の遍照さんが失踪《しっそう》してしまったんで、それどころじゃないって感じですね」

「ナニ？　遍照さんが失踪したと……」

「えっ、ご存じなかったんですか⁉　あなたは会社の方じゃないんですか」

「ああ。私はアイスメディアの人間ではない。ただ、遍照さんとは株式公開のときからの付き合いだからな。……そうか、失踪したか。よっぽどつらかったんだろうな」

「すいません。もしかして、何か知っていらっしゃるんですか」

「ああ、心当たりがないわけでもない。遍照さんがたまに漏らしていたからな」

「何をですか」

「『最近、銀行との付き合いが非常に大変だ』とぼやいていたんだ」

「あっ、そういえば失踪される直前に遍照部長とお話ししていたんですけど、『銀行との打ち合わせは――』っておっしゃっていたのを覚えています」

「やはり、それだな。ちなみに、今の主査は誰がやっているんだ？」

「藤原萌実さんですけど」

「そうか、藤原くんか。彼女なら、きっと気付くだろう。すまないが、この話を藤原くんに伝えておいてくれないか」

オジサンはそう言うと、今来たばかりの道を引き返そうとした。

「ちょっと待ってください。あなたは一体どなたなんですか」

僕に呼び止められたオジサンは、振り返って少し苦笑いをした。

「今さら君たちに合わせる顔なんてないんだがな。では、私のことは〈ただの通りすがりの証券アナリスト〉とでも言っておいてくれ——」


「ナイ、ナイ、ナイ、ナイ、ナーイ！」

会議室に入ると、萌さんが小声で叫びながらあちこち動き回っている。

「萌さん、何か探し物ですか」

「カッキー、シッー！」

萌さんは人差し指を口に当てて言った。

「小さな声でしゃべってよ。バレちゃうじゃない」

「——一体、なにがバレるんですか」

僕も小声で話すことにした。

「盗聴機を探しているのよ。盗聴に使うマイクロフォンがこの部屋の中にあるはずなんだけど。おかしいわねぇ、どこにも見当たらないのよ」

会議室を見渡してみても、この部屋はもともと簡素な造りで書棚や花瓶といった装飾品

| | | |
|---|---|---|
| 〈アイスメディアの仕訳〉 | （借方）現金 | （貸方）資本金 |
| 〈SPCの仕訳〉 | （借方）現金 | （貸方）借入金 |
| | （借方）有価証券〈株式〉 | （貸方）現金 |

は一切なく、部屋の中には会議机と椅子、そして監査法人から持ってきたトランクと僕らのカバンしか存在していなかった。

「おかしいわね――」

「萌さん、ちょっといいですか。お話ししたいことがあるんですけど」

「大事な話なのね。わかったわ、じゃあまた〈ピュアフラット〉に行きましょう」

〈ピュアフラット〉に着くと、僕は今朝の出来事を話した。

「遍照部長は銀行との付き合いに苦労していた――あっ、なるほどね。これでSPCのカラクリは解けたわ」

「えっ、どうしてですか。何が一体わかったんですか」

「カッキー、よく考えてみなさいよ。アイスメディアは銀行借入のない無借金経営で有名な会社よ。それなのにどうして、財務部長の遍照さんが銀行との付き合いに苦労しなきゃならないの?」

「そ、それは、銀行から〈借りてくれ〉って頼まれていたとか……」

「自分で言っていて不自然だって気が付くでしょう。そんなことで苦労するわけないじゃない。どうやら答えは一つしかないようね――アイスメディアは資金調達に銀行借入を利用していたとしかね」

萌さんはそう言うと、手帳に図を描き始めた（前頁の図を参照）。

「ねっ。SPCに対して株式を発行すれば、こうやって〈隠れ借金〉をすることができるでしょう。株式発行なんて有利発行じゃなければ、取締役会決議で発行できちゃうしね。あれっ。そういえば、増資も財務活動なんだから、たしかカッキーの担当じゃなかったっけ？」

「……あの、すいません。増資の株式数や払込金額については登記簿や払込金保管証明書などで、ちゃんとチェックしていたんですが」

「うふっ。別にカッキーを責めているわけじゃないわよ。この人数でこの期間内だったら、新株の引受先の吟味までは手が回らないわよね。引受先も数多いんでしょうし。特に発行したのが議決権に関係ない優先株[29]だったりしたら、発行理由も資金調達に限られてくるから、ふつう引受先の吟味まではしないしね。どうやら、監査の盲点を衝《つ》かれたようね……」

僕の責任じゃないようなので少しホッとしたが、ものすごい後味の悪さだ。そして、僕はあることに気がついた。

「じゃあ、仮にアイスメディアがSPCを使って借入をしているんでしたら、アイスメディアが無借金経営で株主資本比率八〇%っていうのは……」

「もし、私の推理が当たっていたら〈真っ赤な嘘〉ということになるわね。この不正行為に嫌気がさした遍照部長は社長と喧嘩《けんか》した結果、会社にいられなくなり失踪した――おおかた、こんな感じじゃないかしら。だから失踪の直前、遍照部長がカッキーに真実を話そうとしたとき、盗聴ソフトを使って察知した社長は電話を入れて邪魔をした」

そう言う萌さんの背後に、新たな男性が現れた。

「萌っち、俺のことを何か噂していた?」

「在原純平! あんた、またついてきたのね」

「呼び捨てとはヒドイなぁ。それに別についてきたわけじゃないぜ。だいたい、この店のオーナーは俺なんだから」

「えっーー!!」

萌さんと僕はそろって驚きの声を上げた。

「俺の名前、〈純平〉を英語読みしてみろよ」

「〈純平〉だから、〈ピュア〉と〈フラット〉――えっー、だから〈ピュアフラット〉だったの!?」

「そうだ。だから、俺がいついても当然なんだよ。重要案件について考えたいときやアイデアを出したいときは、様子見も兼ねていつもこの店に来ているんだ」

「じゃあ、昨日今日と現れたのも盗聴ソフトで聞いて来たわけじゃなかったの⁉」

「盗聴ソフト？　あれはデモ版だけ作ってまだ実用化されていないはず……そういえば誰かにあげたような気もするな」

「盗聴ソフトの話はまあいいわ。でも、あんたやっぱり遍照部長と喧嘩したんでしょう。SPCを使って借金していることでモメたんじゃないの」

萌さんは語気を強めて言った。

「この前も言ったが、遍照部長と喧嘩なんて全然してねえよ。だいたい、SPCって一体何なんだ？　俺、会計とか法律とかまったく苦手でダメなんだ」

「あんた、本気で言っているの？　それでよく社長業を五年もやってこられたわね」

「そう言われてもな。これまで会計や法律については、遍照部長やお宅の伴さん、文屋さんに任せっきりだったし」

在原社長が何気なく言った言葉に、僕と萌さんは驚いた。

「ちょっと待って。遍照部長はともかく、うちの伴さんや文屋さんに昔から任せっきりってどういうことよ」

「そのままの意味だぞ。難しい会計処理は会計士に全部お任せだったし、財務諸表も作ってもらった」

「そっ、それって完全に〈二重責任の原則〉[30]違反じゃないですか！　萌さん、それっていいんですか！」

僕は思わず大声を上げてしまった。なぜならそれは、監査の大前提を覆してしまう話だからである。

「……よほどのことがないかぎりあっちゃいけないケースよ。でも、まさかこの会社がそうだったなんて」

「それってダメだったのか。すまなかったな、俺は本当に会計とかさっぱりだし」

在原社長はあっけらかんとした顔をしていた。

「あんた、一度会計の勉強とかしたほうがいいんじゃないの」

「うーん。確かに会計の勉強して会計士になって、萌っちと毎日一緒に働くというのもいいかもしれないいな」

「そうじゃないわよ……」

## 6

監査最終日、金曜日。

朝、アイスメディア本社への道のりで萌さんと一緒になった。

「カッキー、おはよー。今日は忙しい一日になりそうね」

「結局、決算短信[31]の修正のほうは今日午後三時の決算発表に間に合うんですか。会社のほうにＳＰＣを連結子会社に入れ直した連結の作業をしてもらっているんですよね――」

昨日の監査の結果、〈隠れ借金〉をしていたＳＰＣはアイスメディアの社員が運営していただけでなく、出資の大部分をアイスメディアのほかのＳＰＣが負担していたこともわかったため、連結対象になったのである。

「無理にでも間に合わせてもらうわよ。私たちも深夜まで監査してたんだからね」

「そういえば、この件については伴さんにおっしゃったんですか」

「伴さんにはメールしておいたんだけどね。まあとにかく、あとは伴さんから承諾をもらえば、今回の事件は終了ね――」

「——伴さん、それは一体どういうことなの!!」

午前十時、萌さんの怒りの声が会議室中に響き渡った。

「藤原くん——何度も言うようだが、今回の修正は不必要だ。君も大人なんだからわかるだろう」

いかにも仕事ができそうなビジネスマン風の伴さんは、落ち着き払った声で言った。

「私は、伴さんが何を言っているかわかりません！　あのSPCは明らかにアイスメディア本体の影響下にあります。どうして連結子会社にしてはいけないんですか！」

「——私はそんな低次元の話をしているのではない。もし修正した決算を発表したらどうなるかぐらい、君にもわかるだろう」

「今回の決算発表は当期だけの話では済まなくて、これまでの財務諸表も〈嘘だった〉と修正しなきゃならないから、新聞とかにも大々的に取り上げられるでしょうね。そうなれば市場の評価はガタ落ち、株価は急落、信用は失墜、下手をすれば倒産するかもしれないわね」

「そうだろう。君はクライアントの存亡に対して、そんな無責任な態度を取っていいのか」

「お言葉ですけど、アイスメディアの〈嘘つき財務諸表〉を信じて株を買うかもしれない一般投資家に対して、私はそんな無責任な態度は取れません！」

「藤原くん、よく考えてみろ。アイスメディアには監査部門だけでなく、コンサルタント部門や税務部門もうちを使ってもらってるんだ。年間報酬は一億円だぞ。君はアイスメディアのかわりに一億円稼げるクライアントを獲得できるのか？　でなければ、これ以上口出しするな。監査報告書にサインするのは君ではなく、私だ」

「しかし！」

「だいたい、君は柿本くんを誘って監査現場を抜け出しデートなんぞに行ったらしいじゃないか。もっとしっかりしたまえ――」

「――萌さん！　ちょっと待ってください、どこに行くんですか！」

会議室を突然飛び出した萌さんを僕は追いかけた。そして、ようやく本社ビルの玄関ロビーで追いついた。

「待ってください、萌さん！　僕の話を聞いてください！」

僕の声に、萌さんは振り返った。

「なんだか〈別れを告げた綺麗《きれい》な女を追いかける未練がましい男〉って感じのシチュエーションね」

「勝手に自分の都合のいいようにドラマ化しないでください」

「それで何なの。話なら聞くわよ」

「萌さん。もしかして、このことをマスコミとかに言う気じゃないですか。そんなことはやめてください！　萌さん、事務所をクビになりますよ。萌さんがクビになったら、僕はどうしたらいいんですか……」

「カッキー、私はまだそれほどヤケになっちゃいないわよ。だいたい、こんな大事な話を勝手にマスコミにしたら〈守秘義務違反〉になるじゃない」

「……萌さん、意外と冷静だったんですね」

「そんなことよりも、伴さんの最後に言ったこと覚えている？」

「現場を抜け出して〈ピュアフラット〉に行ったことですか。すいません。あれは、僕にも責任が……」

「カッキー、そんなことじゃないわよ。一度よく考えてみて、どうして伴さんが〈デート〉のことを知っていたと思う？」

「あっ……萌さんが演技で〈デート〉に誘ったことは誰も知らないはずですよね」

「そう。伴さんが盗聴している誰かから私たちの会話の内容を聞いた、としか考えられないわ。もしくは、伴さん自身が盗聴していた、としか」

「あの会議室には盗聴用マイクロフォンらしきものはまったく見当たらなかったじゃない。でもよく考えたら、会議室に存在していたにもかかわらず、一度も調べなかったものがあったわ。それが、伴さんのカバンの中よ――」

そのとき、僕らの横を通り過ぎようとする人影に僕らは同時に気付いた。

「あっ、〈通りすがりの証券アナリスト〉さん！」

「誰かと思ったら、大友さんじゃない！　お久しぶりー、どうしてこんな所にいるの？」

オジサンは立ち止まり、僕らのほうを向いた。

「〈J1〉のキミ、こんにちは。そして藤原くん、久しぶりだな。どうやら立派に仕事をしているようじゃないか」

「そんなことないわよ。私もまだまだだわ――あっ、大友さんって事務所辞めたあと〈証券アナリスト〉になったんでしたっけ。もしかして、〈証券アナリスト〉としてこの会社に来ていたの？」

「ああ、どういう因果かそういうことになってしまった――」

二人から話を聞くと、大友さんは最近まで僕らの事務所にいた方なのだそうだ。それも、アイスメディアの監査スタッフとして継続して入っていたらしい。つまり、去年までは主査が文屋さん、スタッフが大友さんというコンビでアイスメディアの監査を担当していたのだ。そしてその二人ともが最近退職し、文屋さんはアイスメディアの経理部長、大友さんは〈証券アナリスト〉に転職したそうだ。

「文屋の奴は会計を極めたくて経理部長に転職した。俺は会計の世界から少し離れたくて、ヒラの証券マンに転職した。同じ転職でも全然違うぞ」

大友さんは自嘲《じちょう》気味に言った。

「それで、大友さん。今日は何の用で来たの？　決算発表直前にヒアリングに来たの？」

「今日は〈証券アナリスト〉として来たんじゃない。君たちのOBとして来たんだ。今ごろさぞ困っているだろうと思ってな——」

とりあえず、また〈ピュアフラット〉に行った僕らは、これまでの事情を大友さんに話した。

「なるほどな、伴さんはそう言ったか。確かに、彼にとっては重要顧客を失うわけにはいかないだろうな。それに、昔から自分が出世することしか考えていない人だったから、盗聴くらいは平気でやりかねん。そもそも不正を隠したいからかどうかは知らんが、スタッフの人数自体も極力少なくしようとしていたからな。正直なところ、俺は彼のやり方に嫌気がさして監査法人を離れようと思ったんだ」

大友さんは苦笑いをしながら言った。

「それにしても、文屋も相変わらずな奴だ。SPCを使ってこんなトリックを作りやがって」

「えっ、文屋部長も今回の粉飾に絡んでいるんですか」

「当たり前だ。経理部長が何も知らないわけがないだろう。そもそも文屋がここの主査だった時代にSPCのことを熱心に研究していたから、そのときにこのスキームを考えついたんじゃないか」

「そういえば、SPCについての監査調書が全然足りなかったんだけど、もしかしてそれって……」

「きっと文屋があえて調書に何も残さなかったんだろうな。文屋とは入所同期だからよくわかっているが、昔からクリエイティブ・アカウンティングの信奉者だったんだ」

「クリエイティブ・アカウンティング？」

僕には初めて耳にする言葉だった。

「日本語で言うと〈利益創作会計〉とでも言うのかしら。あらゆる会計手法を駆使して、違反ギリギリのラインで自分達にとって最も都合のいい財務諸表を作り上げることよ」

萌さんが解説をしてくれた。

「文屋は監査法人時代から、〈利益創作会計〉をすることに喜びを感じる奴だったんだ」

「監査人が〈利益創作会計〉をするって、どういうことですか」

「新しい会計基準ができるたびに、その裏をかいた会計手法を考えてクライアントに提案するのよ。〈この基準のここの盲点をつけば、利益を増やせますよ〉ってね。そうすれば、クライアントからの信頼度が増すし、監査報酬も増やしやすいから」

「でも、監査人がそんなことをしてもいいんでしょうか。確かに、僕らはクライアントから報酬をもらっている身だから、クライアントのためになるような仕事をしなきゃいけないかもしれませんけど」

僕の疑問に対して大友さんが口を開いた。

「監査の仕事から離れてますます感じることだが、やはり監査人は社会のために仕事をすべきであって、特定の企業のために仕事をすべきではないな」

「そうよね。警察が悪を見過ごせば治安は滅び、政治家が利権と結びつけば政治は滅び、会計士が不正を許せば経済は滅びるのよ。カッキー、よく覚えておきなさい」

萌さんは静かに言った。

「それで藤原くん。今回についてはこれからどうするつもりだ」

「話のわかるほかの代表社員に頼んで伴さんを説得してもらうという手もあるけど、決算発表は三時だからもう時間がないわ。こうなれば、あそこにいるプリンスを使うしか方法がないわね」

萌さんがそう言って指差した先には、奥のテーブルで何やら本を読んでいた在原社長がいた。

「なんだ、萌っち。俺のこと呼んだか。せっかく、俺が会計の勉強をしているところによう」

「社長、あんたにかかわる話なんだからこっちに来なさい」

萌さんに言われて、在原社長はこちらのテーブルにやって来た。

「それで、俺に話ってなんだ?」

「午後三時からの決算発表って、やっぱりあんたがしゃべるの?」

「ああ。でも、俺は文屋部長が作ってくれる原稿どおりに読み上げるだけなんだけどな」

「そう。社長、悪いけどちょっと私の話を聞いてくれないかしら——」

おもむろにノートパソコンを起動させながら、萌さんはこれまでの経緯を在原社長にも話し始めた。どうやら萌さんは在原社長のことを信用したようだ。

「なるほど、そういえば伴さんに〈盗聴ソフト〉のデモ版をあげたことがあったな。それに、やっぱりウチは借金をしていたのか。俺をはじめ取締役のほとんどは技術か営業専門で、会計に詳しい奴って遍照部長か文屋部長しかいなかったからな。取締役会でSPCのこととかいろいろと決議した記憶はあるけど、正直何のことやらわからなかった」

「じゃあ、SPCの運営手数料のことで遍照部長とモメたこともないのね」

「ああ。そもそもSPCに運営手数料が発生すること自体、今知った」

「——もしかして、月曜日の午前中に遍照部長を電話で呼び出したことも？」

「なんだそりゃ。まったく記憶にないぜ」

「なるほどね。それじゃあ、遍照部長失踪《しっそう》事件も伴さんや文屋さんが怪しいってことになるわね。社長の言っていることが正しければ、の話だけど」

萌さんが言っているとおり、在原社長が僕らに言ったことが正しければ、文屋部長が嘘つきということになるが、逆に文屋部長が僕らに言ったことが正しければ、在原社長が嘘つきということになる。

「……萌さん、僕には在原社長が嘘をついているようには見えないんですけど」

僕の何気ない言葉に、萌さんは鋭く反応した。

「根拠は何よ。監査人は確たる心証を得ないと判断しちゃいけないのよ。それで心証は得られているの、カッキー」

「心証って言われても……すいません。前言撤回します」

「なんだか〈居直りを決め込んだ犯人に萎縮《いしゅく》するダメ新人刑事〉って感じのシチュエーションね」

「だから、勝手なドラマ化はやめてください。本当に萌さんは嫌な性格をしていますよね。それでは、こういうときはどうすればいいんですか」

「こういうときはね——その人の目をよく見て話をすればいいのよ。社長、こっちへ来てくれないかしら？」

萌さんは在原社長を自分のそばに呼んだ。

「ねえ、社長。これまで私たちに言った話、全部本当のことよね」

萌さんは念を押すように言った。

「ああ。俺は一言も嘘は言っていない」

「——わかったわ。どうやら、あんたの言っていることのほうが正しいようね」

「本当ですか⁉」

「本当よ。監査を何年かやっていれば、こういう技術も身につくのよ。——なんて、ウ・ソ・よ。この画面を見てみなさい」

萌さんは目の前にあるノートパソコンを指差した。

「この画面は、俺が作った磁気から神経活動を分析する嘘発見ソフト〈しょうジキ〉じゃん！」

在原社長は驚いたように言った。

「ええ。実は技術部の人に頼んで開発版を使わせてもらっていたの」

「もしかして萌さん、これを使ってこれまでの在原社長との会話をチェックしていたんですか」

「そうよ。これくらい用意周到でないとね。そうそう、カッキーの『本当に萌さんは嫌な性格をしていますよね』っていう言葉は、〈正直度一%〉だったわよ」

「……だから、そういうところが嫌な性格なんですよ」

7

午後二時三十分、喫茶店〈ピュアフラット〉。そこに僕は飛び込んだ。

「萌さん。新しい決算短信、持って来ましたよ。ひととおり表示のチェックはしておきました」

証券取引所に比較的近いこの場所で、萌さんと在原社長は最後の打ち合わせをしていた。

「お疲れ、カッキー」

「それにしても、会社で伴さんや文屋部長の姿を見かけなかったんですけど、大丈夫ですか。こちらに妨害しに来ているかと思っていたんですけど」

「伴さんや文屋部長のことなら大丈夫よ。さっきも社長秘書から連絡があってね『まだ社長室でぐっすりと眠っていらっしゃいます』だってさ。まあスゴイわね、あの自動睡眠ソフト〈おやスイミン〉は」

「ああ。あれは俺の自信作だからな。今ごろ深い眠りに落ちているはずだから、あと一時間は確実に眠っているはずだ」

在原社長は自信満々に言った。今から一時間前、これから行う決算発表に伴さんや文屋部長の邪魔が入らないように、在原社長が二人を社長室に呼んで〈おやスイミン〉の画面をそれとなく見せ、眠りに陥れたそうだ。

「――とりあえず、打ち合わせとしてはこんなところね。あとは本番あるのみよ、社長。最後にもう一度訊くけど、本当に修正した決算を発表してもいいのね。多額の借金をしていることがバレたら、倒産するかもしれないのよ」

萌さんは念を押すように言った。

「それくらいの覚悟はしているさ。こんなことで潰《つぶ》れるようじゃ、俺の会社もそれまでだったということだ」

在原社長はそう言うと、真剣な面持ちで決算発表会場である証券取引所内の記者クラブへと向かった——。

そして、金曜日午後三時。

アイスメディアの決算発表において、SPCを使って多額の借金をしていたことが公表された。また、過去の決算書についても誤りがあったことを認めた。そしてこの責任を取って、在原社長は辞任を表明した——。

金曜日午後四時。

記者クラブから出てきた在原社長に萌さんが駆け寄った。

「在原純平！　あんたが社長を辞めてどうするのよ」

「トップが責任を取って辞任するのは、トップとして当然のことじゃん。この粉飾を知ったときからこうすることは決めていたぜ」

「そう、社長にもその覚悟があったんだ……」

「そういえば俺、社長を辞めたからこれからは〈社長〉とは呼ばれなくなるんだな」

「じゃあ、どういう呼び名で呼んで欲しい」

「そうだな、〈プリンス〉とでも呼んでもらおうか」

「……」

「これまで〈ベンチャーのプリンス〉だったけど、これからはただの〈プリンス〉として生きていかなきゃならないじゃん」

「ふーっ。まあ、あんたなら社長辞めてもたくましく生きていけるわね――」

それからしばらくあと、在原社長は消息不明になった。

しかし彼のことだ、きっとどこかで元気にやっていることだろう。


このあとのことについては、時間を追ってお話しします。

土曜日。朝刊各紙がアイスメディアの粉飾決算を大々的に報道。アイスメディアの社内調査によりSPCの運営は文屋部長が取り仕切っていたことが発覚。緊急取締役会により文屋部長が懲戒免職処分。伴代表社員は監査法人を退職。

日曜日。遍照財務部長が帰宅。遍照氏が言うには「借入れのためのSPCのことを今後も伏せておくよう監査法人の伴代表社員や文屋経理部長に脅迫され、会社にいづらくなりホテルに隠れていた」とのこと。会社側としては降格処分の予定。

月曜日。株式取引開始時よりアイスメディア株は一斉に売られるものの、午後には買い戻され、結局先週末と比べて株価に大きな変動はなかった。これは「借入金が多額にあったとしても売上自体は伸びており技術力も依然として高い。よって、投資判断としての〈買い〉推奨は変わらない」という証券アナリスト大友氏によるアナリストリポートが市場に大きな影響を与えたものと思われる――。


――そして、十ヶ月後。


「カッキー、なに読んでいるの」

事務所でのんびりしていると萌さんに声を掛けられた。

「あっ、萌さん。『TACNEWS』を読んでいるんですよ。今月号って二次試験の合格祝賀会の様子が載っているじゃないですか。ちょっと懐かしいなぁ、って」

「〈懐かしい〉って言っても、カッキーは二年目になったばかりなんだからまだ去年のことじゃない。そうそう、二年目なんだから新人教育のほうもお願いするわね。さっそく、今月から新人が来ているから紹介するわ。ちょっとこっちへ来て、プリンス」

「プリンス!?」

どこかで見覚えのある顔が僕の目の前にやってきた。

「柿本先輩、よろしくお願いします。この度、この監査部門に配属されました在原純平です。もしよかったら、〈プリンス〉と呼んでください――」

――こうして、僕の会計士生活二年目がスタートした。

[23] クライアントとは、〈お客さま〉の意味。

[24] 決算発表とは、会社が決算終了後に財務状況などをマスコミに発表することである。

[25] 通常、監査は三～五人程度のチームを組んで行われる。二人というのは少ない部類に入る。

[26] 時価総額とは〈株価×発行済株式数〉により算出する指標で、その企業をお金に換算するといくらになるか、という市場価格を表している。

[27] 株価収益率（PER）とは、株価が企業の利益の何倍で買われているかを示す指標。〈株価÷1株当たり利益〉で算出する。株価が割高か割安かを判断する際に利用し、倍率が大きいほど割高、つまり株式市場で高く評価されていることになる。

[28] ストラクチャード・ファイナンスとは、〈ストラクチャー（仕組み）〉を使った資金調達手法のこと。代表的なものとして〈資産を裏付けとして発行される証券（資産流動化商品）〉などがある。投資家はそのSPC（Special Purpose Company）が発行する証券を買って、配当金をもらう。

[29] 優先株とは、配当等を優遇するかわりに議決権は与えないという株式のことである。（商法二四二条）

[30] 二重責任の原則とは、財務諸表を作成する責任は経営者にあり、監査を実施し意見を表明する責任は監査人にある、という責任分担の原則。つまり、監査人は会社の人と一緒に財務諸表を作成してはいけないのである。

[31] 決算短信とは、決算の情報が書かれた報告書のこと。決算発表で使われる資料であり、記者クラブで公表される。監査の対象外だが、有価証券報告書・半期報告書の速報版という性質もあるため、実質的に監査済みのものが公表されている。

監査ファイルEX.

# 女子大生会計士の事件後

「ああーん！　もう、イヤになるわねぇ!!」

監査法人の部屋中に萌さんの大きな声が響き渡った。

萌さんはノートパソコンをバンバンと手で叩《たた》きつけている。

「どうしたんですか、萌さん。パソコンをそんなに乱暴に扱っては壊れますよ。事務所からの支給品なんですから、壊して弁償させられても知りませんよ」

隣にいた僕は、萌さんに注意をうながした。

「もう、壊れちゃってもいいじゃない。どうせパソコン交換の時期なんだから。それより、パソコン交換のために必要なファイルだけ別にしないといけないじゃない。それが面倒なのよねー。さっきもうっかりボタンを間違えて、クライアントの企業機密文書をアドレス帳に登録してある全員に送付してしまうところだったわ」

「どこをどう間違えたら、そんなことになるんですか！」

「まあ、仕方ないじゃない。で、カッキーはパソコン交換の準備はできたの？」

僕らに支給されるパソコンは、毎年のように性能のより良いパソコンと交換される。これは監査用ソフトウェアのバージョンアップに応《こた》えるだけの性能を、パソコン側も維持する必要があるからである。

「僕もちょうどこれから、パソコン交換のために必要なファイルをピックアップしようと思っていたところなんですけど」

「そうなんだ。ねぇねぇー、ちょっと私にもカッキーのパソコン見せてよー」

萌さんは僕のノートパソコンを覗《のぞ》き込もうとしている。

「勝手に人のを見ないでくださいよ」

「なんで隠そうとするのよ。あっ、カッキー、もしかして人に見られて恥ずかしいものでも入れてあるのー？」

「入れてませんよ、そんなのっ！」

「じゃあ、見たっていいじゃない」

萌さんはそう言うと、勝手に僕のパソコンをいじりだした。

「あっ、何この文書ファイル？　ファイル名が『〈北アルプス絵はがき〉事件』って書かれてあるけど」

「それは、監査現場での出来事を書いた監査日記みたいなものですよ」

「あんた、そんなもの書いていたの⁉」

「ええ、そうですけど。何か悪いでしょうか」

「まあ、悪いとは言わないけどねぇ。あんた、これこそ人に見られて恥ずかしいものじゃないの……」

監査ファイル―〈北アルプス絵はがき〉事件について
「カッキー、その〈北アルプス絵はがき〉事件〉なんだけど、確かこれってあんたの初めての出張だったのよね」

「そうです。たしか、〈UK〉と呼ばれる裏金があったんですよ」

「そうそう、裏金が三千万もあったんだっけ。ねぇ、カッキー。どうして、裏金を作っちゃいけないのかわかる？」

「どうして、って言われても……えーっと、やっぱり投資家に嘘をつくことになるからじゃないですか」

チッ、チッ、と萌さんは人差し指を横に振った。

「それもあるでしょうけど、あのときの場合、通信費をほかのことに使っていただけなんだから、会社の利益が変わるわけじゃないでしょう。別に投資家には迷惑がかからないじゃない」

「それじゃ……えっ、えーっと」

「答えは〈税務調査〉よ。税務調査官があの会社に来て、あの裏金を見つけたらどうなると思う？」

「……わかりません」

「あの裏金は私たちとの飲み食いにも使っていたんだから、通信費じゃなくて〈交際費〉に認定されてしまうのよ。そうなったら税額がかなり増えるでしょうね」

「そういえば、〈交際費〉には税金がかかるって聞いたことがあります」

「それに、もし裏金を役員への報酬に充てるといった悪質な目的で使っていたら、制裁金として〈重加算税〉も取られるかもよ」

〈重加算税〉って本来の税金に加えて、三五～四〇％増の税金を負担しなければならないんですよね。社会的にも〈脱税〉として報道されますから痛いでしょうね」

「だ・か・ら、そうならないためにも、裏金作りなんてしないで真っ当に帳簿をつけていったほうがいいのよ。〈脱税〉で困るのは会社だけじゃなくて、その株主も迷惑を被るんだからね。そういった問題を未然に防ぐのも私たちの仕事ってわけよ」

監査ファイル2 〈株と法律と恋愛相談〉事件について

「『〈株と法律と恋愛相談〉事件』!? ……あんたも、変なタイトル付けるわねぇ」

「別にいいじゃないですか。本当に株と法律と恋愛相談があった話なんですから」

「それって、経営コンサルタントの和気さんが、タチバナ製作所の社長さんを騙《だま》して二〇〇億円をぶんどろうとした話だったわね」

「あのときは、ほんと萌さんに法律の知識があって良かったですよね」

「会計士として仕事をするんだったら、法律知識はあったほうがいいわよ。でもね、あのとき、私たしか『どういたしましょうか。和気さん?』なーんてタンカを切っちゃったけど、あとで冷静に考えたら和気さん側にも再逆転の方法があったのよね」

「ほっ、本当ですか⁉」

「そうよ。橘社長はいったん自分で契約しておきながら無効を主張するんだから、民法七〇九条の一般不法行為責任[32]で橘社長を訴えることは可能だわ」

「でも、社長個人を訴えてもたいした額は回収できないんじゃないですか」

「宇佐興業はあの時点ではタチバナ製作所の大株主じゃない。だから、商法二六六条の三[33]で橘社長やほかの取締役を訴えることもできたのよ」

「ほかの取締役に対して、どうして訴えることができるのです？」

「ほかの取締役は、一般不法行為を行った代表取締役である橘社長の監視義務を怠ったからよ。こうして多額の損害賠償を取締役全員からぶんどって破産に追い込めば、破産は取締役の欠格事由[34]なんだから経営陣から追い出せるじゃない。そして橘社長らが持っていた株も差し押さえて取り上げたら、タチバナ製作所を自分の思うがままにできるでしょう。売るなり何なり自由にできたはずよ」

「なるほど、和気さんはそこまで気が付かなかったんですね」

「違うわよ。和気さんも気が付いていたはずだわ。でも、ここまでするには時間がかかるし、和気さん側も株価操作の疑いがあるんだから裁判で勝てるかどうかもわからないじゃない」

「そう言われれば、そうですよね」

「もし裁判になったら弁護士が主役になるから、会計士コンサルタントである和気さんの活躍の場が減ってしまう――もしかしたら、そんなことを考えたのかもしれないわね」

「確かにプライドの高そうな人でしたから、実はそんな理由かもしれませんね」


監査ファイル3〈桜の頃、サクラ工場、さくら吹雪〉事件について

「そうね、桜が綺麗《きれい》な頃の出来事だったわねぇ」

萌さんが遠い目をして言った。

「サクラ工場がクーポン券詐欺に巻き込まれた事件でしたよね。僕、疑問に思っていたことがあるんですけど、訊《き》いていいですか」

「いいわよ」

「あのサクラ工場が考えたキャンペーンって、〈桜の木〉のシールを一〇〇〇枚集めたら一〇万円プレゼントするっていうキャッシュバック企画だったじゃないですか」

「そうだったわね」

「そうなると、シール一枚分の価値は一〇万円÷一〇〇〇枚だから一枚＝一〇〇円じゃな

いですか。仮に冷凍食品の単価が五〇〇円とすると、二割をキャッシュバックしなきゃいけないんですよ。原価はもっと低いでしょうから、もともと赤字になる企画だったんじゃないでしょうか」

「そうよ、カッキーの言うとおりよ」

　萌さんはあっさりと言った。

「では、どうしてそんな企画が実行されたんですか！」

「そんなの見通しが甘かっただけに決まっているじゃない」

「そんな理由ですか」

「きっと企画担当者はこう言うでしょうね。『一〇〇〇枚も集める人がそんなにいるなんて思っていなかった。ましてや、返品分のシールが使われるなんて思ってもみなかった』って」

「そんなの言い訳じゃないですか」

「もちろん、そうよ。ただ、甘い見通しをすることなんていくらでもあるわよ。持っているだけで値が上がるはずだった株やゴルフ会員権、景気が良くなればすぐなくなると思った不良債権、大勢の人に使われるはずだった高速道路や地方空港……これらはすべて見通しの甘さが惹き起こしたものよ。結果はカッキーも知っているでしょう」

「そうですね。すべて失敗していますよね……」

「見通しを誤るのは仕方のないことだわ。だって未来のことなんて誰にもわからないんだから。でもね、間違っていたと気が付いたときに修正できるかどうかが〈運命のわかれ目〉なのよ。間違ったまま見過ごしてしまうと、取り返しがつかないことになってしまうんだから」

「でも過去の自分の判断ミスを認めることって、なかなか難しいんじゃないですか」

「その難しいことを断行できるかどうかが〈運命のわかれ目〉って言っているのよ。まあ、これは別に会社や国だけの問題じゃなくて、私たち自身にもいえる問題なんだけどね」

監査ファイル4〈かぐや姫を追いかけて〉事件について

「また、よくこんな恥ずかしいタイトルを付けるわねぇ」

「えっ、そうですか。やっぱり〈かぐや姫小夜曲《さよきょく》（ムーンライトプリンセス・セレナーデ）〉のほうが良かったでしょうか。ちなみに〈小夜曲〉と〈小夜さん〉を掛けているんですよ」

「……いっ、いや〈かぐや姫を追いかけて〉のほうがまだマシだわ」

「そうですか。それにしても、あのときは家具屋さんのCFO（最高財務責任者）が萌さんの元同期の深草さんだったんですよね」

「そうそう。深草くんがあんなに夢中になっている人がいたなんて思ってもみなかったわー。それも、相手が〈かぐや姫〉だもんね」

「だから、ダジャレはもういいですって」

「それにしても、私、昔から〈かぐや姫〉と〈小野小町〉がダブって混同しちゃうのよね。どちらも悲劇のヒロインだからかしら」

「えっ、〈かぐや姫〉と〈小野小町〉は全然違うじゃないですか。だいたい〈小野小町〉は嫌な奴ですよ」

「どうして」

「〈深草少将〉の話って、萌さん知っています？　小野小町が都を去って故郷に帰ったとき、小町のことを本当に好きな深草少将という人が追いかけていくんですよ。そして、小町に〈逢《あ》いたい〉と手紙を送ると〈土手に一日に一本ずつ芍薬《しゃくやく》を植えてください。それが百本になったら逢いましょう〉と返事がきたんです。そこで少将は一日も欠かさず芍薬を植え続け、ついに百日目になったんですけど、その日は大雨のあとで川が氾濫《はんらん》していたんです。それでも少将はみんなが止めるのも聴かずに百本目の芍薬を持って出かけたんですが、橋ごと流されて死んでしまうんです――これは小町が男をもてあそぶからこんな結末になったんですよ」

「でもね、カッキー。小町にも少将とすぐには逢えない理由があったのよ」

「えっ、そうなんですか⁉」

「実はそのとき、小町は疱瘡《ほうそう》を患っていたのよ。皮膚の病気だから、そんなときに女性が顔を見せるわけにはいかないじゃない。だから、百日待ってほしくて〈芍薬が百本になったら〉って言ったのよ。少将の死後、小町は深く悲しんで九十九本の芍薬に九十九首の歌を捧《ささ》げ、死ぬまで少将を供養し続けた――」

「小町も悲劇の人だったんですね。話を元に戻しますけど、小夜さんを追いかけた深草さんはその後どうなったのでしょうか……」

僕が深草さんのことを思い返している横で、萌さんはニコニコしていた。

「実はこの前、深草くんからメールが来たわよ」

「本当ですか！　それで、なんていうメールだったんですか」

「イタリアで婚約したんだって。もちろん、小夜さんとね――」


監査ファイル5〈美味しいたこ焼き〉事件について

残高確認書

××銀行◇◇支店御中

下の空欄に金額を書いて、○○監査法人に送ってください。　△△株式会社

△△株式会社の3月31日時点の金額

| | |
|---|---|
| 当座預金　（　　　　）円 | 普通預金　（　　　　）円 |
| 定期預金　（　　　　）円 | |

「この不正が見つかったきっかけって、そもそもは私が送った残高確認書だったのよねぇ」

「萌さんは『ちゃんと発送しておいてね〜』と命令しただけじゃないですか。実際に送る手続をしたのは僕です」

「でも、銀行や得意先の住所を書くのは、どうせ近衛っちに任せたんでしょう」

「そ、そうですけど、確認書に住所を書いてもらった後も、やる仕事はいっぱいあるんですよ。返信用の封筒を準備したり、封詰め作業をしたり、発送先に漏れがないかどうかチェックしたり。返信が着いてからも、開封したり、集計したり、返信が遅いものに催促をしたり……」

「まあ、新人が唯一戦力として期待されるのが、この残確作業だからね」

「どうして、こんなに残確を重視するんですか？　帳簿のチェックといった普通の監査手続よりも、うるさく言われることが多い

じゃないですか」

「わからないの？　簡単な理由よ」

「何なんです？」

「それは裁判で負けないようにするためよ」

「はぁ？」

「監査の仕事って、会社が潰《つぶ》れたりしたら当然株主から『ちゃんと監査していたのか！』と訴えられるわけじゃない。そのとき『いえいえ、ちゃんと監査してましたよ』と主張するための客観的な物的証拠がこの残高確認書なのよ」

「普段作っている監査調書ではダメなんですか？」

「監査調書なんてダメよ。捨てることだってできるし、改ざんもできるじゃない。証拠力としては弱いのよ」

「監査人がそんなこと言っていいんですか……」

「事実だから仕方ないじゃない。だから、第三者が絡んだ残高確認書が一番強い証拠になるのよ」

「まあ、ちゃんと手広く外部からも情報を集めて監査をしましたよ、という証拠にはなるのでしょうね」

「逆に言うと銀行や取引先からの残高確認書を入手していないようではまともな監査をしていない、と思われても仕方がないの。それくらい残高確認書は、重要だってことよ」

監査ファイル6〈死那葉草の草原〉事件

「土地を実際に調査しに行ったら全然価格が違っていた、という話でしたよね」

「まあ、財務諸表に載っている数字って怪しいものが多いのよねぇ」

「またそんな誤解を生むような発言をしていいんですか、萌さん。今回の土地だって三〇億円という数字は買ったときの値段なんですから、別に間違っているという程でもないじゃないですか」

「でも、実際に今売ったら一〇億円なんでしょう。だったら、財務諸表利用者にとって役に立つ数字はどっち？　三〇億円、それとも一〇億円？」

「そういわれたら一〇億円の方ですけど……」

「でしょう。でもまあ、実際どの数字が正しいかなんて判断するのが難しいケースもけっこうあるのよねぇ。今回の件も、土地取引の盛んでない地域だったから市場価格が確かめにくかったという事情もあったし」

「土地以外にも数字が決めづらいモノってあるんですか？」

「たとえば、非上場会社の株式とかは市場価格がないから価格を決めづらいでしょう。経営不振の会社への貸付金とかも、どれくらいの確率で回収不能になるかを予想しないといけないから、難しいわよね。あと美術品の価格もあってないようなものだから大変だわ」

「美術品も今回みたいに実地調査をするんですか？」

「まあ見に行くけど、素人じゃ全然わかんないわよ。この前見せてもらった社長の秘蔵コレクションも『これなら私にも描けるわ！』って思わず言っちゃったし」

「ダメですよ。そういう時はウソでも誉めなきゃ……」


監査ファイル7〈ベンチャーの王子様《プリンス》〉事件について

「〈ベンチャーのプリンス〉ねぇ。いたわねー、そんな奴」

「『いたわねー』じゃないですよ。今日だって、一緒に萌さんの下で仕事したじゃないですか。在原さんは今年の〈J1〉の中でもずば抜けて優秀ですよ」

「そうだったわね。それにしてもあの会計トリックは厄介だったわね。SPC（特別目的会社）を使われると、こちらも把握しづらいのよね」

「確か、あのアメリカで起きたエンロン事件もSPCを使っていたんですよね」

「そうよ。エンロンはさまざまな事業そのものにSPCを使っていたからね」

「だから、事業が失敗してもそれはSPCの損失だから、エンロン本体は、表向きにはずっと無傷のように見えたんですよね」

「さすがは、カッキー。エンロン事件の雑誌を読んでいただけのことはあるわね」

萌さんは微笑んだ。

「エンロン事件で印象的なのは、投資家からSPCの資金を集める際に〈SPCが危なくなってもエンロン株で補塡《ほてん》する〉と言っていたことね。当時のエンロン株は高値だったから、多くの銀行や証券会社などが〈エンロン株があるなら大丈夫〉だと思って、エンロンのSPCに多くの資金をつぎ込んだのよ」

「それで、エンロン株が下がりだした途端次々とSPCが破綻《はたん》して、ついにエンロン本体も損失が隠し切れなくなった、ということですよね」

「株高を維持するために粉飾したのか、粉飾したから株高だったのか。とにかく、エンロンの粉飾を止められなかった監査側の責任は大きいわね」

「そして、その監査側の代償も大きかったですよね」

「そうね。世界の五大会計事務所の一つだったアンダーセンがこの事件で信用をなくして、あっという間に崩壊してしまったもんね」

「本当に数年前には想像もつかなかったことですよ」

「まあ、世の中何が起こるかわからないってことよ」

「そうですね。ほんと、何が起こるかわかりませんね」

僕がそう相づちを打つと、萌さんは席を立った。

そしてパソコンの前から離れる間際に、僕のほうを振り向いた。

「私とカッキーの関係もこれから何が起こるかわからないわよ、ウフッ」

「もっ、萌さん。いっ、意味深なことを言わないでください！」

僕が言うより早く、萌さんはもう遠く離れていた。

「そうそう、カッキー」

萌さんが遠くから声を掛けてきた。

「なんですかー、萌さん」

「そういえばねー、パソコン交換する前に、必要なファイルを入れたフォルダ[35]に何か適当な名前を付けなきゃいけないってー。忘れないようにねー」

僕はフォルダに名前をまだ付けていなかった。

しばらく考えたあと、萌さんの立ち去る後ろ姿を見ながら僕はフォルダに名前を付けた
——『女子大生会計士の事件簿』と。

このあと、ボタンを間違えてこの『女子大生会計士の事件簿』をアドレス帳に登録してある全員に送付してしまい、あげくの果てにそれが意外と評判になり本にまでなってしまうとは、このときの僕はまだ知るよしもなかった……。

[32]〈民法七〇九条〉故意または過失によって他人の権利を侵害した者は、これによって生じた損害賠償の責任を負う。
[33]〈商法二六六条の三〉取締役がその職務を行う際に悪意または重大なる過失があるときは、その取締役は第三者に対しても連帯して損害賠償の責任を負う。
[34]〈商法二五四条の二〉次の者は取締役になることができない。第二号　破産の宣告を受け復権していない者
[35]フォルダとは、文書や画像といったファイルをまとめて入れる入れ物のこと。

# おわりに

最後までお読みいただき、誠にありがとうございました。

このたびは、一般にはその実態をあまり知られていない〈公認会計士〉の実務を小説の題材として取りあげたのですが、その目的は「〈公認会計士〉について知ってもらいたい」ということだけではありません。〈公認会計士〉という目線をとおすことによって、〈経理業務の奥深さ〉〈監査のスリリングさ〉〈会計トリックのミステリー的要素〉、ひいては〈会計の面白さ〉を読者の皆さまと一緒に楽しみたくてこの小説を書きました。

〈会計〉を舞台にした小説といいますと、通常は〈ビジネス小説〉というジャンルになるかと思われます。私はビジネス小説も好きですが、ビジネス小説特有の経済社会の裏側を暴露する、社会の不正を糾弾するという世界観は、今回私が目指した「〈会計〉の面白さや〈監査〉のスリリングさを知ってもらいたい」という目標とはちょっと違いました。

そこで今回の小説では、明るくて楽しそうな会計監査の現場を舞台に、天真爛漫《らんまん》な女性公認会計士と弱気な青年会計士補という、到底ビジネス小説では出てこないような二人に活躍してもらいました。

読んでくださった皆さまに楽しんでいただき、そして少しでも勉強のお役に立ててくださるなら、このうえない喜びです。

なお守秘義務の問題上申し上げますが、私が所属している監査法人のクライアントは、いっさい今回の小説のモデルにはなっておりません。改めてここに明記させていただきます。

それでは、この本の〈スペシャル・サンクス〉です。

単行本化に多大なるご協力をくださった英治出版の原田英治社長、秋元麻希さん。連載時に大変お世話になりました「TACNEWS」編集長の青山哲也さん。連載時から会計的な面も含めて校閲をしてくれた会計士補の沼口哲也さん。単行本化に尽力してくださった会計士補会代表幹事の松井謙明さん、会計士補の森川浩さん、メディアシークのカリスマ経理マン鈴木正守さん。法律面のアドバイスをしてくださいました弁護士の麦志明さん。そして、さまざまなアドバイス等をいただきました公認会計士・会計士補の戸津禎介さん、横森仁さん、近藤仁さん、吉岡亨さん、山川拓也さん、安樂崇さん、山田朋子さん、中川満美さん、江口慎太郎さん、加藤賢治さん、高橋陽介さん。そのほか大勢の方々のご協力をいただき、この本は完成いたしました。本当にありがとうございました。

最後に、この本を読んでくださった皆さまに最大級の感謝を申し上げます。

これをきっかけに会計に興味を持つ人が増えればいいな、と思いつつ筆を擱《お》かせていただきます。

それでは、またどこかでお会いいたしましょう。

二〇〇二年十一月

山田真哉

# DX.版へのあとがき

ここまで読んでくださった皆様、どうもありがとうございました。

「あとがき」から読み始めた皆様、いらっしゃいませ。

著者の山田真哉でございます。

この『女子大生会計士の事件簿』は、二〇〇一年十一月に専門学校TACの情報誌「TACNEWS」誌上で、「会計士・税理士受験生に会計の世界を紹介する」というコンセプトのもとに連載をスタートさせたのがそもそもの始まりです。

二〇〇二年十二月には英治出版から単行本が出版され、二〇〇三年八月からは「ビジネスジャンプ」(集英社)でコミック「公認会計士　萌ちゃん」の連載開始。そしてこのたびの文庫化と相成りました。

スタートから約三年でこれだけ皆様の目に触れる機会を頂いて、萌さんとカッキーくんは幸せ者だと思います。

「うちは文芸書として出そうと思っています」

というメールを角川書店さんから頂いた時には、「えっ」と思いました。

当時、数社から『女子大生会計士の事件簿』の文庫化の打診があったのですが、この本をビジネス書として売ってきた経緯から、他社さんは当然「ビジネス文庫」としての提案だったのに対して、角川書店さんだけが「文芸書」扱いだったのです。

ここでこんな話をするのもなんですが、『女子大生会計士の事件簿』は文芸書としては売れないような気がします（笑）。

それが、全国百店舗以上の書店さんに『女子大生会計士の事件簿』の売り込み営業に行った私自身の実感です。

実は二〇〇二年十二月に出された単行本『女子大生会計士の事件簿』は、当初五百冊の注文しかありませんでした。

「これではいかん！」と思い、全国の書店を「本を置いてくださるように」とお願いして回っていました。

その時、タイトルのうち『会計士』という言葉に注目してビジネス書コーナーに置いてもらえたのが七割、『事件簿』という言葉に注目して文芸書コーナーに置いてもらえたのが三割でした。

その結果、ビジネス書コーナーでの評判は良かったのですが、一概には言えませんが文芸書コーナーでの反応はイマイチだったのです……。

さて、この文庫版は「文芸書」として売り出してはいますが、作り方としては「ビジネス書」の作り方をしています。

ここで作り方の違いを簡単に説明しますと、文芸書の場合、読者は「本を読む」のが目的ですが、ビジネス書の場合は「本を使う」のが目的です。ここに作り手にとっても大きな違いが生じてきます。

これを具体的にいうと、文芸書の場合、その文章自体が〈主目的〉でもあるので、巧みな情景描写や心理描写が必要となります。また、シナリオ自体も〈主目的〉ですので、自《おの》ずと人間関係の複雑さ・重厚さを出す必要が出てきます。

一方、ビジネス書の場合は知識の伝達が〈主目的〉ですので、文章自体は会話調であろうが講義形式・小説形式であろうが〈手段〉に過ぎません。ですから、シンプルなものが好まれます。

また、必要な知識・情報に関係ないものについては、それを簡略化する必要もあります。例えば、ただでさえ会計だけでも難しいのに主人公たちの人間関係まで難しかったら、読者は必要な情報を入手しづらくなる、といったことが挙げられます。さらに読みやすさを重視し、法律の条文等については現代語訳をしています。

以上、技術論のお話でした。

興味のない方にまでお付き合いいただいて、どうもすいませんでした。

そのようなわけで、この本は決して「文芸書」として書いたものではないため、角川書店さんからのお誘いは断ろうかとも思いました。

しかし「本を読もう」と思って買った人が、「これって使える、勉強になる」という驚きを持ってくれたら、これはこれで面白いなぁと思い直したのです。

よって、このたびの角川文庫による出版となりました。

本書は、単行本版では未掲載だった作品も二本追加収録し、文章等も見直して、DX《デラックス》・版としてリニューアルさせていただきました。より楽しんでいただけたら、と思います。

また、来月には『女子大生会計士の事件簿 DX・2』も発売いたします。今からその第二巻用の著者校正作業や「あとがき」執筆に取り掛からなければならないので、今日はこの辺で。

それでは、この度は『女子大生会計士の事件簿 DX・1』をお読みいただき、誠にありがとうございました。

二〇〇四年九月

山田真哉

〈電話加入権〉〈ソフトウェア〉など。〈減価償却〉によってその価値を減らしていく。

営業権
〈のれん〉とも呼ぶ。ほかの会社の事業を買ったり、合併することによって発生する。合併では買収した会社の価値より多額で買収するとその差額が営業権となる。〈買収額100円〉－〈買収された会社の価値80円〉＝〈営業権20円〉

投資その他の資産
固定資産分類の1つで、投資目的で買った株式である〈投資有価証券〉や〈子会社株式〉〈敷金〉〈保証金〉〈長期貸付金〉〈ゴルフ会員権〉などがこれに分類される。

流動負債
短期間の負債。〈支払手形〉〈買掛金〉〈前受金〉〈未払金〉〈未払費用〉〈短期借入金〉など。

支払手形
後日現金で支払うことを約束した紙切れ。

買掛金
“つけ”で購入したあとに、代金を支払わなければならないお金。“つけ”で買うことを〈掛買い〉といい、例えば材料を100円で掛買いしたら〈買掛金100円〉になる。あとで現金100円を支払うと、〈買掛金0円〉になる。

前払費用
一定の契約に従って、サービスを受けるより先に支払っている費用。まだ、サービスを受けていないため〈費用〉と名乗っているが〈資産〉である。例えば、保険料（毎月10円）を1月から6月までの半年分（60円）一括前払いしたら、1月末の段階では〈費用10円〉〈前払費用50円〉になる。〈前払費用〉は時間の経過と共に〈費用〉に変わるので、これを〈時間基準〉と呼ぶ。

未払費用
一定の契約に従ってサービスは受けており、あとで支払うことになっている費用。将来的に支払い義務があるので〈負債〉である。例えば、1月から6月の家賃（毎月10円）を6月に一括あと払いするときは、5月末の段階では

〈未払費用50円〉であり、6月になると全額支払うため〈未払費用0円〉になる。

引当金
将来発生するとわかっている費用を、前もって蓄えておくお金。〈負債〉である。例えば、12月に賞与60円を支払うとわかっていたら、前もって7月から12月までの半年間、毎月10円ずつ〈賞与引当金〉として蓄える。〈引当金〉にはほかに、〈退職給付引当金〉〈債務保証損失引当金〉などがある。

固定負債
返済が1年以上先の〈借入金〉〈社債〉、使用するのが1年以上先の〈退職給付引当金〉などがこれに分類される。

社債
投資家から借りるお金のこと。資金調達のために投資家向けに社債券を発行して資金を得る。投資家の希望により社債を株式に換えることができるという〈新株予約権付社債〉もある。

資本
〈資本〉は主に株主からの資金である〈資本金〉〈資本剰余金〉、これまでに稼ぎ出した〈利益〉の蓄積で構成される。

資本金
会社の出資者が支払った、会社の基礎となる資金。必ずしも現金として手元に残しているわけではなく、活動が始まるにつれ商品や資産に変わっていくので、〈資本金1億円〉といっても、実際に現金1億円があるわけではない点に注意。

債務超過
〈純資産〉がマイナスになった状態。つまり、〈資本金〉〈資本剰余金〉〈利益〉の蓄積がマイナスになった状態である。

増資
会社設立後、会社を拡大させるために新しい株式を発行して〈資本金〉を増やすこと。

●損益計算書（経営成績がわかる書類）のおはなし

原価
元々の値段。製品なら作るためにかかった材料費・労働費、

商品なら仕入れ価格。〈売上原価〉とは、〈売上高〉に対応した〈原価〉の金額のこと。

売上総利益
〈売上高〉−〈売上原価〉＝〈売上総利益〉

販売費及び一般管理費
給料、広告宣伝費、水道光熱費、減価償却費、修繕費、貸倒引当金繰入額、交際費など。略して〈販管費〉とも呼ぶ。

営業利益
売上総利益−〈販売費及び一般管理費〉＝〈営業利益〉

営業外損益
会社の営業とは関係のない損失と利益。受取利息・支払利息や株の損益、為替差損益がこれに当てはまる。
〈営業利益〉±〈営業外損益〉＝〈経常利益〉

経常利益
企業の通常の活動から生じた利益。
〈営業利益〉±〈営業外損益〉＝〈経常利益〉
"けいつね"と呼ぶことも多い。

特別損益
特別な事情で発生した損失や利益。固定資産の売却、火災による損失などがこれに当たる。

当期純利益
〈経常利益〉±〈特別損益〉−〈法人税など〉＝〈当期純利益〉
"最終利益"とも呼ぶ。

増収増益
〈収益〉つまり〈売上高〉と、〈利益〉がともに増えること。反対語は"減収減益"。このほかに"増収減益""減収増益"もある。

●取引のおはなし

外貨換算
会計的に外国の通貨を自国の通貨に換えて計算すること。〈円〉に統一した財務諸表を作るためには、〈ドル〉紙幣や〈ドル〉取引を〈円〉に換えて計算しなければきちんとした財務諸表が作れない。もちろん〈ドル〉で統一したい時は、〈円〉を〈ドル〉に〈外貨換算〉する。

外貨建取引

外国の通貨で取引すること。取引をしたときの為替レートで換算される。取引期間が長い場合は、開始から終了までの間に為替レートがぶれるため、その為替レートのぶれは〈為替差損益〉として〈営業外損益〉に含まれる。

オフバランス取引
〈貸借対照表〉に載ってこない取引。企業の財産としては表示されない。リース資産や年金資産、デリバティブ取引や為替予約などがある。現在はこれらをできるだけ〈貸借対照表〉に載せようとしているところである。

●連結のおはなし

連結
会社経営を見る際に１つの会社だけを見るのではなく、子会社などを含めたグループ全体で見ること。親会社の損益に子会社の損益を足して作られる。現在では、１つの会社だけで作る〈個別財務諸表〉よりも〈連結財務諸表〉のほうが重視されている。

親会社
ある会社を支配している会社。昔は議決権の過半数を持っていれば〈親会社〉だったが、今では実質的に支配していれば〈親会社〉になる。

子会社
ある会社に実質的に支配されている会社。親会社が作る〈連結財務諸表〉の対象となる。

関連会社
重要な影響を与えている会社。〈子会社〉と言えるほど支配しているわけではないが、影響力は及ぼしている会社。原則として、その会社の議決権の20％以上を持っていれば〈関連会社〉である。

持分法
連結財務諸表を作る時の方法の一つ。通常の連結の場合は、子会社の資産・負債もすべて親会社に足していくが、関連会社などは〈持分法〉を使って、損益だけを親会社に足す。“一行連結”とも呼ぶ。

セグメント情報
事業の種類別・所在地別などの単位（セグメント）ごとに、それぞれの売上高や営業利益などがわかる情報。連結財務

諸表上では連結グループの中身がよく見えないため、〈セグメント情報〉は重要な情報として開示が義務付けられている。

●会計学的なおはなし

一般原則
会計で守らなければならない原則。〈真実性の原則〉〈正規の簿記の原則〉〈資本取引・損益取引区分の原則〉〈明瞭性の原則〉〈継続性の原則〉〈保守主義の原則〉〈単一性の原則〉の7原則からなる。『企業会計原則』の中に書かれている。

保守主義の原則
将来予想される利益については計上せずに、将来予想される損失についてはいち早く計上すること。利益を少なめにしていく会計処理であり、〈安全性の原則〉〈慎重の原則〉とも言われる。実務の中では定着している考え方。

一年基準
１年以内に換金できるものを〈流動資産〉〈流動負債〉、１年を超えないと換金できないもの・長期間存在するものを〈固定資産〉〈固定負債〉とする基準。

営業循環基準
営業活動により発生した棚卸資産や債権は〈流動資産〉にするという基準。通常の営業によって発生した製品や売掛金は、それが１年以上あるとわかっていても〈流動資産〉に含める。

会計方針
財務諸表を作るための方針。有価証券や棚卸資産の評価基準や評価方法などは、どの方法を採るか自由に選択できるため、会計方針を決めてそれを開示しなくてはならない。

取得原価
買ったときの価格のこと。棚卸資産や固定資産は〈取得原価〉で貸借対照表に載っている。

取得原価主義
取得原価で貸借対照表を作るという考え方（⇔時価主義）。会計の世界では長い間この考え方が採られてきた。

時価
市場価格、もしくは一般的に

公正な価格。

時価主義
期末日における時価で貸借対照表を作るという考え方（⇔取得原価主義）。有価証券の時価評価や〈減損会計〉など、最近この考え方が広がってきた。

発生主義
収益・費用を認識するタイミングは、現金の出入りがあったときではなく、実際に費用が発生したときであるという考え方。4月に売り上げて6月に現金が入ってくる場合、売上を認識するタイミングは6月ではなく4月になる（4月から6月の間は〈売掛金〉となる）。

実現主義
モノを渡して、お金をもらったときに〈収益〉を認識することを〈実現主義〉と呼ぶ。〈収益〉の認識基準には現金をもらったときだけで認識する〈現金主義〉というのもあるが、企業会計上は〈実現主義〉でなければならない。

●トピック的なおはなし

税効果会計
法人税は利益の約40％を納めなければならない。しかし、会計のルールで計算する利益と、法人税法のルールで計算する利益（これを〈課税所得〉と呼ぶ）は微妙に異なる。そのため、会計のルールで計算した利益の約40％が法人税額として表示されず、変な感じになる。これを財務諸表上では会計のルールに統一して、利益の約40％が法人税額になるように調整する手続きを〈税効果会計〉と呼ぶ。

繰延税金資産
〈税効果会計〉でよくあるパターンは、法人税法のルールで計算した利益のほうが大きくて、法人税額も多い場合である。この場合は財務諸表上、会計のルールに合わせて法人税額を減らす。しかし、現実には法人税法のルールにしたがって法人税を支払わなければならないので、財務諸表上減らした法人税額は〈繰延税金資産〉として資産に置いておく。

繰延税金資産の取崩し
会計のルールで計算する利益と法人税法のルールで計算す

る利益とがズレる大きな原因は、〈この時点で利益だ！〉というタイミングが会計と法人税法とで考え方が違うからである。ということは、財務諸表上では減らした法人税額も、いずれ時が経てば法人税額に含めることになる。そのときは〈繰延税金資産〉を取り崩して、財務諸表上で減らした法人税額をもう一度元に戻す。

国際会計基準（IAS＝International Accounting Standards）
世界的に統一する会計基準。文化や法律が国ごとに違うように、会計も国ごとで違う。しかし、会計が各国バラバラだと経済活動が不便である。そこで現在、各国の代表が国際会計基準を作成しており、将来的にはこれに統一しようとしている。

金融派生商品
先物・スワップ・オプションなど。デリバティブとも呼ばれる。現金や証券とは違って、〈将来モノを買う権利〉や〈継続して交換する契約〉〈○○円で売る義務〉といった実体のない〈権利〉や〈契約〉などを金融上の商品として扱っている。

ヘッジ会計
リスクを避けるために行う〈ヘッジ取引〉については、昔の会計では表に出してこなかったが、この〈ヘッジ取引〉の利益や損失も会計上に反映させようとする会計処理のこと。

債権区分
同じ債権でも相手先の経営状態によって〈一般債権〉〈貸倒懸念債権〉〈破産更生債権等〉などの〈債権区分〉に分ける。そして、この区分をもとに貸倒引当金を計上するのである。

退職給付会計
従業員に対して将来払うべき退職金や退職年金（まとめて〈退職給付債務〉と呼ぶ）を計算して、会社が負担すべき金額を〈退職給付引当金〉として蓄えておくこと。退職金・退職年金は通常〈年金資産〉を運用してそこからお金を出すため、〈退職給付債務100円〉－〈年金資産50円〉＝〈退職給付引当金50円〉となる。

継続企業の前提〈ゴーイング・コンサーン〉
企業は継続的に活動するという会計の大前提。2003年より〈この会社が“継続企業”と言えるかどうか。つまり、この会社が今後潰れる可能性があるかどうか〉について監査人が公表することになった。

四半期決算
3ヶ月ごとに決算を行うこと。最新の情報をいち早く投資家に公開する目的から、四半期決算を行うのが国際的な流れになっている。東証に上場している会社も2003年4月よりスタートする決算期から開示が義務付けられている。

リース会計
リース契約で機械を借りて使っている場合と買って使っている場合とでは、同じように使っているにもかかわらず、借りた場合は〈資産〉には計上されない。これでは正確な貸借対照表はできないので、〈リース会計〉ではリース取引についても〈資産〉〈負債〉を計上させようとしている。しかし、日本では規則の抜け穴を使ってリース取引を〈資産〉〈負債〉に計上させていない。近い将来、〈資産〉〈負債〉に計上させるように規則を変える予定である。

減損会計
固定資産の価値が低下した場合に、帳簿上の価格を時価などの回収可能額にまで減らして、その分損失も計上すること。固定資産は通常〈減価償却〉を行って価値を減らしていくが、〈減価償却〉した帳簿上の価格と実際の市場価格との間に差があると、帳簿価格は実態とはかけ離れた価格になってしまうため、〈減損会計〉が必要になった。この〈減損会計〉は2004年から実施されている。

◆注記
これらの用語解説はやさしさ・わかりやすさを重視して書きましたので、厳密な定義とは異なるものもございます。より詳しく勉強なされたい方は、ぜひ会計の専門書でお確かめください。それがまたいい勉強になるかと思われます。

と、〈売掛金０円〉になる。

貸倒れ
売掛金や受取手形が、相手先の倒産などにより回収不能になること。

貸倒損失
回収不能になった金額は〈貸倒損失〉として費用に計上する。

貸倒引当金
将来発生する貸倒れ金額を予測して、あらかじめその金額を蓄えておくこと。〈貸倒引当金〉は資産のマイナスである。例えば、〈売掛金〉が100円あった場合、貸倒れ金額を予測して〈貸倒引当金〉として10円を蓄える。すると、〈売掛金100円〉－〈貸倒引当金10円〉となり、実質上〈売掛金90円〉となる。売掛金100円の全部が回収できるとは考えずに、最初から回収額を低めに考えるという奥ゆかしい行為である。

有価証券
お金の価値がある紙切れ。〈株式〉〈社債〉〈手形〉など。

棚卸資産
商品、製品、仕掛品、原材料など。将来、販売したり使ったりすることを目的として持つ資産。在庫品とも呼ぶ。

固定資産
長期にわたって利用する資産。〈有形固定資産〉〈無形固定資産〉〈投資その他の資産〉に区分される。

有形固定資産
具体的な形がある長期間使う資産。〈建物〉〈機械〉〈車〉〈工具〉〈備品〉〈土地〉など。〈減価償却〉によってその価値を減らしていく。

減価償却
固定資産は使用したり時間が経つと価値が減っていくが、外見から見てもそれはわかりにくい。そのため、一定の方法で価値を減らしていくことを〈減価償却〉と呼ぶ。〈建物〉や〈機械〉〈ソフトウェア〉といったものは〈減価償却〉を行うが、土地などは使っても価値が減らないため〈減価償却〉は行わない。

無形固定資産
具体的な形はないが長期間使う資産。〈営業権〉〈特許権〉

中間財務諸表
上半期の財務諸表。〈中間決算〉により作成される。

含み損益
貸借対照表には表れない、隠された利益や損失。昔に買った土地や建物、株式などの中によく含まれている。昔に買った土地10円が、今売ると100円になるなら、〈仮想売却額100円〉－〈帳簿額10円〉＝〈含み益90円〉となる。

証券取引法
投資家を保護し、証券の流通を円滑にするために作られた法律。この法律により、上場企業は公認会計士による財務諸表の監査が義務付けられている。

計算書類
貸借対照表や損益計算書などのことを商法ではまとめて〈計算書類〉と呼ぶ。証券取引法で言うところの〈財務諸表〉とほぼ同じ。

配当金
会社が株主に分配するお金。会社の利益の中から支払われる。

自己株式
自分の会社の株式のこと。以前はその取得が原則として禁止されていたが、今は株主総会決議があれば自由に取得することが可能になった。取得したあと、会社が持ち続ける〈自己株式〉のことを〈自社の金庫にしまう株〉＝〈金庫株〉と呼ぶ。

●貸借対照表（財政状態がわかる表）のおはなし

流動資産
短期間で使う資産。〈現金預金〉〈受取手形〉〈売掛金〉〈売買目的の有価証券〉〈商品〉〈製品〉〈前払費用〉など。

受取手形
後日現金を受け取ることができる約束をした紙切れ。

売掛金
“つけ”で販売したあとに代金を請求できる権利金。“つけ”で売ることを〈掛売り〉といい、例えば商品を100円で掛売りしたら〈売掛金100円〉という。あとで代金を請求して現金100円を回収する

資産
会社の持つ財産や権利のこと。〈現金預金〉〈商品〉〈建物〉〈貸付金〉など。

負債
資金源の１つで、債務のこと。〈買掛金〉〈未払金〉〈借入金〉など。〈他人資本〉とも呼ぶ。

資本
資金源のもう１つで、自己財産のこと。
会社の持つ純粋な資産であるから〈純資産〉、または〈自己資本〉〈株主資本〉とも呼ぶ。

損益計算書
会社の経営成績をあらわした書類。ある期間の〈収益〉〈費用〉〈利益〉がわかる。ある期間とは、通常半年間か１年間である。

収益
お金を得る活動のこと。〈売上〉〈受取利息〉〈雑収入〉など。

費用
お金が出る活動のこと。〈売上原価〉〈販売費及び一般管理費〉〈支払利息〉〈雑損失〉など。

利益
〈収益〉－〈費用〉＝〈利益〉
会社の“儲け”のこと。

キャッシュフロー計算書
現金の動きがわかる書類。〈営業活動〉〈投資活動〉〈財務活動〉の３つの区分で、現金がどのように使われて、現金がどのように入ってくるかを見ることができる。

決算
ある区切りを決めて会社の財政状態や経営成績を計算すること。１月１日から12月31日までの区切りで〈決算〉を行うことを〈12月決算〉、４月１日から翌年の３月31日までの区切りで〈決算〉を行うことを〈３月決算〉と呼ぶ。日本には〈３月決算〉の会社が多い。大きな会社になると決算のときに〈財務諸表〉を作って公表しなければならない。

中間決算
上半期終了時点で行う決算。３月決算の会社なら９月末で〈中間決算〉を行う。

# 巻末付録：やさしい会計用語集

●基本のおはなし

会計
会社の状態をすべて金額で表現する制度。

簿記
〈帳簿記入〉の略。帳簿の記入から財務諸表を作り上げるまでの技法。通常、会社で使われているのは複式簿記。

仕訳
〈簿記〉の元となる帳簿記入の手法。すべての取引を〈借方〉と〈貸方〉の二面性で表現する。

取引
会社のお金に関することに動きが起こったこと。“商品の売買”や“金銭の貸し借り”など。“契約の獲得”だけではお金に直接関係ないため、会計でいう〈取引〉には当たらない。

認識
〈取引〉があったことを把握すること。

計上
〈認識〉したものを帳簿に記入すること。費用に計上する時は〈落とす〉、収益に計上する時は〈上げる〉とよく言う。

評価
会計の世界では価額を決めることを〈評価〉と呼ぶ。“有価証券の評価”“引当金の評価”“土地の評価”など。

財務諸表
会社の財務がわかる書類。〈決算書〉とも呼ぶ。〈貸借対照表〉や〈損益計算書〉〈キャッシュフロー計算書〉などのことを指す。公認会計士はこの〈財務諸表〉の監査を行う。

貸借対照表
会社の財政状態をあらわす表。ある時点における〈資産〉や資金源がわかる。

本書は二〇〇二年十二月、英治出版より刊行された単行本に加筆・訂正し文庫化したものです。

# 女《じょ》子《し》大《だい》生《せい》会《かい》計《けい》士《し》の事《じ》件《けん》簿《ぼ》

## DX《デラックス》.1 ベンチャーの王子様《おうじさま》

山田真哉《やまだしんや》

角川文庫 13538

平成十六年十月二十五日 初版発行
平成二十三年四月三十日 二十四版発行

発行者—井上伸一郎
発行所—株式会社角川書店
東京都千代田区富士見二—十三—三
電話・編集(〇三)三二三八—八五五五
〒一〇二—八〇七八
発売元—株式会社角川グループパブリッシング
東京都千代田区富士見二—十三—三
電話・営業(〇三)三二三八—八五二一
〒一〇二—八一七七
http://www.kadokawa.co.jp
印刷所—暁印刷 製本所—BBC
装幀者—杉浦康平

落丁・乱丁本は角川グループ受注センター読者係にお送りください。送料は小社負担でお取り替えいたします。
定価はカバーに明記してあります。

や 37-1 ISBN978-4-04-376701-4 C0193

# 角川文庫発刊に際して

角　川　源　義

第二次世界大戦の敗北は、軍事力の敗北であった以上に、私たちの若い文化力の敗退であった。私たちの文化が戦争に対して如何に無力であり、単なるあだ花に過ぎなかったかを、私たちは身を以て体験し痛感した。西洋近代文化の摂取にとって、明治以後八十年の歳月は決して短かすぎたとは言えない。にもかかわらず、近代文化の伝統を確立し、自由な批判と柔軟な良識に富む文化層として自らを形成することに私たちは失敗して来た。そしてこれは、各層への文化の普及滲透を任務とする出版人の責任でもあった。

一九四五年以来、私たちは再び振出しに戻り、第一歩から踏み出すことを余儀なくされた。これは大きな不幸ではあるが、反面、これまでの混沌・未熟・歪曲の中にあった我が国の文化に秩序と確たる基礎を齎らすためには絶好の機会でもある。角川書店は、このような祖国の文化的危機にあたり、微力をも顧みず再建の礎石たるべき抱負と決意とをもって出発したが、ここに創立以来の念願を果すべく角川文庫を発刊する。これまで刊行されたあらゆる全集叢書文庫類の長所と短所とを検討し、古今東西の不朽の典籍を、良心的編集のもとに、廉価に、そして書架にふさわしい美本として、多くのひとびとに提供しようとする。しかし私たちは徒らに百科全書的な知識のジレッタントを作ることを目的とせず、あくまで祖国の文化に秩序と再建への道を示し、この文庫を角川書店の栄ある事業として、今後永久に継続発展せしめ、学芸と教養との殿堂として大成せんことを期したい。多くの読書子の愛情ある忠言と支持とによって、この希望と抱負とを完遂せしめられんことを願う。

一九四九年五月三日